料理侍

料理人季蔵捕物控

和田はつ子

時代小説文庫

角川春樹事務所

目次

第一話　料理侍

一

江戸の春ほど、想《おも》う相手を待つかのように、狂おしいまでに待たれる時季はほかにない。たとえ日々、霜柱が立ち、時に大雪に見舞われるようなことはあっても、年が明ければ新春と称して喜び合う。

そして、梅の蕾《つぼみ》がほころんで、甘く涼やかな香りが市中に流れ始めると、江戸っ子たちは、この梅春の到来を騒ぎ立てずにはいられなかった。

それほど江戸では、女人への憧《あこが》れにも似て春が待たれる。

ただし、この年の冬はことさら厳しい寒さが続き、流行風邪《はやりかぜ》が猛威を揮《ふる》うなどして、春ならではの摘み菜売りの声は、如月《きさらぎ》に入っても、まだ聞くことができなかった。摘み菜は野や山、河原などで食用に適する野草の新芽を摘む、春ならではの風物詩である。

日本橋は木原店《きはらだな》にある一膳飯屋《いちぜんめしや》塩梅屋《あんばいや》の主季蔵《あるじとしぞう》は、

——誰もが春の香り立つ、ヨモギのお浸《ひた》しや、フキノトウの佃煮《つくだに》、タラの芽の天麩羅《てんぷら》等を待ち望んでいるというのに――

胸中、摘み菜料理の一品を客に供することのできないもどかしさを嘆じつつ、

「いよいよ、わたしも辛抱できなくなりました。何とか、先駆けて春を料理にしたい」

先代主の忘れ形見である看板娘おき玖《く》に告げると、

「あら、今日は寒鰆《かんさわら》？」

意外そうな声をあげたおき玖を気にも留めずに、季蔵は俎板《まないた》の上で大きな鰆を三枚に下ろし始めた。

「珍しいわね、寒鰆なんて」

魚へんに春という字を書くせいで、鰆は春が旬《しゅん》だと思われているが、これは水面《みなも》に浮かんでくる春の産卵期に、大漁が見込めることによる。

脂が乗って、最も美味なのは冬場である。この時季のものを寒鰆と呼ぶのだが、産卵前は活動が鈍るため、水面に出て来ることが減り、なかなか、漁師たちの網にかからない。寒鰆は貴重な素材であった。

「せめて、お客様方に春らしい気分だけでもと思いまして」

するとそこへ、

「やっとこさ、分けてもらってきたよ」

走ってきたのだろう、真っ赤な頰《ほお》の三吉《さんきち》が油障子の引き戸を開けて入ってきた。

年端《としは》もいかないうちから、天秤棒《てんびん》を担いで納豆を売り歩いて、借金まみれの両親《ふたおや》を助け

ようとしていた三吉だったが、そこをつけ込まれて、罪を犯しかけたところを季蔵に救われ、塩梅屋の下働きとして修業を積んできている。

「これ」

三吉は干し蕎麦《そば》が入った皿を差し出した。

「もしかして、それ、茶蕎麦？」

おき玖はまた驚いた。

江戸では蕎麦が好まれていて、市中には数知れない蕎麦屋が店を構えている。当然、競争は激しく、打ち勝つために、梅や柚《ゆず》、茶の葉を練り込んだ蕎麦を看板にする店もあって、風味付きの干し蕎麦はとりわけ美味《うま》い上に、土産《みやげ》にもなると、たいそうな評判になっている。

「三吉、湯を沸かして、糸でそいつの片端を一結びしてから、茹《ゆ》でてくれ、固めにな」

「へい」

三吉が茶蕎麦を茹でている間に、季蔵は三枚に下ろした寒鰆に、ごく薄く小麦粉をまぶして、鉄鍋《てつなべ》でさっと焼いて、醤油《しょうゆ》少々と味醂《みりん》を軽く絡めて照り焼きにした。

冷まして、広げた簾《すだれ》に寒鰆を隙間《すきま》を作らずに並べ、茹で上がって、水切りした茶蕎麦を芯《しん》にして、くるくると巻き上げてゆく。

「三吉、山芋をすってくれ」

「それなら、もう出来てるわ」

三吉に代わっておき玖が答えた。

「蒸籠《せいろう》も竈《かまど》で湯気を立ててる。おとっつぁんの十八番《おはこ》だったこと、思い出したのよ。おとっつぁん、春が遅くて、肴《さかな》にするとお酒が春の味になるフキノトウの佃煮は、まだか、まだかって、お客さんたちにせっつかれる年は、手に入りにくい寒鰆を、何としても探し出してきて、これ、作ってたもの」

「さすがです」

先代塩梅屋長次郎《ちょうじろう》は、料理のことばかり書いた日記を何帖《じょう》も残していて、季蔵がこの料理を思いついたのは、その形見あればこそであった。

「寒鰆の蕎麦鮨《ずし》って名だったかな。ただし、おとっつぁんのは茶蕎麦じゃなかったけど」

蕎麦鮨の命名通り、姿は巻き鮨によく似ていた。季蔵は一寸五分（約四・五センチ）ほどの大きさに切り揃《そろ》えると、蒸し椀に取って、卵の白身少々を加えた山芋でぐるりと取り囲み、蓋《ふた》をしめた。

蒸籠で蒸し上げて仕上げる。照り焼きで旨味《うまみ》が封じ込められている寒鰆は、蒸すとさらに味に深みが増す。

すると、そこへ、

「邪魔するよ」

「俺だよ」

常連である履物屋の隠居喜平《きへい》と大工の辰吉《たつきち》が、これまた珍しく、連れ立って入ってきた。

　ただし、いつもこの二人と一緒に訪れる、一番若い勝二《かつじ》の姿が見えない。勝二は指物師《さしもの》の婿養子におさまっている。

「まずは温まってください」

　おき玖が二人の前に熱燗《あつかん》の酒と猪口《ちょこ》を置いた。

「今日は止《や》めとくよ」

　弱いくせに酒好きで、酒が入ると喜平に喧嘩《けんか》を売るのが常の辰吉が首を横に振った。

「そうだな」

　喜平も頷《うなず》いて、

「年寄りの酔っぱらいが、夜道で転んだりしては、連れに迷惑がかかる。それにしても、加平《かへい》親方は、わしより十歳も若いというのに、何とも気の毒なことだ」

　しみじみと洩《も》らした。

　わりに名の知れた指物師加平親方は、勝二の舅《しゅうと》である。

　流行風邪が引き金になって、熱こそ下がったものの、みるみる全身が弱り、今では立ち上がることもできないまま、臥《ふ》せっているのだと、往来でばったり出くわした辰吉は勝二から告げられていた。

「寝込んじまった親方ときたら、二言目には、春まで生きられないだろう、なんていう、切ない愚痴を言うんだよ。他人《ひと》にも自分にもあれほど厳しい人なのに――。何とか、力をつけてやりたいんだよ」

　勝二の口走った言葉を辰吉は喜平に伝えていた。

「それもこれも今年は春が遅すぎるからだよ。わしにいい考えがある。季蔵さん、出来てるかい？」

　喜平は季蔵に頼み事をしていた。

「勝二のところの病み疲れてる親方に、フキノトウなんかの春らしい香りを食わせて、おうおう、やっと春が来た、生きててよかったってえ、まじないをかけてやりたいのさ」

　喜平の考えに、

「なるほど。美味い食い物ほど、うれしい生き甲斐《がい》はねえもんな。そいつが叶《かな》えば、案外、けろっと元気になっちまうかもしんねえ」

　辰吉は両手をぽんと叩《たた》いた。

　季蔵が摘み菜売りの声を待ち望んでいて、辛抱が切れたのには、相応の理由があったのである。

「この春ではどうでしょうか」

　季蔵は蒸し上がったばかりの寒鰆の蕎麦鮨の入った椀の蓋を取って、二人に勧めた。

「勝二さんのところの分は、今、蒸しているところですので。どうぞ、これは召し上がってください」

「寒鰆の蕎麦鮨、覚えてるよ。先代譲りだろう？　滅多に食えない、なかなかのものなのはわかってる。けどねえ――」

喜平は箸《はし》を手にしたまま、首をかしげた。

「勝二さんから親方は鰆が好物だと聞いています」

「それは春から夏にかけての鰆だろうよ。その頃のは、寒鰆ほど脂が強くないだろうし――」

「美味そうじゃねえか」

辰吉は猛然と箸を動かして、あっという間に平らげてしまうと、

「俺は茶蕎麦は、その手の店に通うほど好きなんだが、これは凄《すご》いよ。ただの茶蕎麦なんぞ、束になってかかっても敵《かな》わねえ。鮨飯の代わりに巻き上げてある茶蕎麦が、ほどよく蒸されて、口の中でほろりとほどける、これが何ともたまらねえ。ぷーんと茶の匂《にお》いがしてさ」

満足そうに口を拭《ぬぐ》った。

辰吉に倣《なら》って、口に運んだ喜平は、

「たしかにな」

大きくため息をついて、

「いやはや、季蔵さん、あんたには今回、兜《かぶと》を脱いだよ。まだ出回らないフキノトウなぞの代わりに、茶蕎麦を使ったとは――。これは一足も二足も早い春のいい香りだ。極めつけだよ。きっと、加平親方も大喜びするだろう」

目を細めた。

——そうだったのね。季蔵さん、それで、わざわざ茶蕎麦を使ったんだわ——

感心したおき玖は、

「どうか、くれぐれもお気をつけになって」

重箱に詰めた蕎麦鮨を渡して、これから勝二のところへ届けるという、二人の後ろ姿を見送った。

二

それからしばらく、客が途絶えて、夜賄《よるまかな》いに、はじめて寒鰆の蕎麦鮨を堪能《たんのう》した三吉は、

「何か、腹の虫がおかしくなっちまうぐらい美味いですよ、これ。勝二さんとこの親方、これさえ食べれば、元気になるにきまってますよ」

ややはしゃぎ、

「そうはいっても、年齢《とし》がいってると風邪は万病の元になっちゃうし、年齢を取るのは切ないものよ」

おき玖の声が沈むと、

「けど、親方には家族がいて、皆して、枕元《まくらもと》で心配してくれてるんでしょ。身よりのない年寄りなんかよりは、ずっと、ずっと幸せですよ」

三吉が思わず大きく声を張った。

「あら、三吉ちゃん、何か言いたいことがあるみたい。話してみてよ」

おき玖に促されると、

「身よりのない年寄りっていうのは、太郎兵衛《たろべえ》長屋の人たちのことなんだけど――」

年寄りが多く集まって住んでいる芝口は二葉町の太郎兵衛長屋へは、毎年、秋になると、先代長次郎の頃から、塩梅屋の裏庭で色づく美濃《みの》柿から作る、熟柿《ずくし》または菴摩羅果《あんもらか》と呼ばれる極上の柿菓子を届けてきている。

ちなみにこの熟柿は、先代がそう決めて、太郎兵衛長屋に住まう人の数二十六個のほかにいくつかを加えた三十個しか作らない。市中では、食通垂涎《すいぜん》の幻の銘菓であった。

「あそこで何か、変わったことでもあったのか？」

太郎兵衛長屋の名が挙がって、季蔵は気にかかった。

「長屋はぎのお小夜《さよ》ちゃんから聞いた話なんだよ」

長屋はぎというのは、松島町の鈴虫長屋に住むおはぎ作りの名人である祖母おひさと、働き者の孫娘が、贔屓《ひいき》客の後ろ盾で、営みはじめた餅《もち》菓子屋である。

塩梅屋では以前、窮地に追い込まれたこの祖母と孫娘を助けるために、一夜で五百個ものおはぎを拵《こしら》えたことがあった。

以来、お小夜に心惹《ひ》かれている様子の三吉は、足しげく長屋はぎに通って、餅菓子が売れ残っていると、必ずまとめ買いしてくるなど、やきもきする日々を送っている。

「何でも、このところ、あれこれ、作り方を聞く面白いお侍がお小夜ちゃんたちのところへ餅菓子を買いに来てるんだけど、その人、そんな年齢でもないのに、おかみさんと二人で、太郎兵衛長屋に最近、越して来たんだって。その人、お小夜ちゃんが贔屓にしてる、蕎麦屋さんにも蕎麦打ちのコツを、しつこく聞いてるんだって」

「よほど、煮炊きが好きなお侍さんなのね」

おき玖が呟《つぶや》いたところに、

「邪魔をする」

油障子の開く音がした。

季蔵の前に立った男は、三十路《みそじ》を少し過ぎたほどの年の頃で、中肉中背、垂れた細い目と丸顔の童顔が柔和《にゅうわ》そのものであった。侍言葉こそ使っているものの、袴《はかま》よりも商家の手《て》代《だい》の縞《しま》木綿《めん》の方が似合いそうに見える。

「それがし、武藤《むとう》多聞《たもん》と申す浪人でござる。客として来たのではないのだが――」

「まあ、お座《しょうぎ》りください」

季蔵が床几《しょうぎ》を勧めると、

「ただし、用向きはある」

「何でございましょう」

「聞いてくれるのだな」

「はい」

「それでは――」

武藤多聞と名乗る侍は懐《ふところ》から、ひらり、ひらりと一枚ずつ、墨跡も鮮やかな引《ひ》き札《ふだ》（ちらし）を出して、まずは季蔵に、次にはおき玖、三吉と手渡した。

「よろず商い屋さんなんですね」

おき玖が相手に念を押して、

「食べ物屋で手が足りない時、手伝いをしてくれるそうだけど」

小首をかしげながら、季蔵の方を見た。

「特技の一つは天麩羅《てんぷら》。金杉川の将監《しょうげん》橋近くの屋台を手伝っておったゆえな」

この時、武藤は胸を張ったかのように、三吉には見えた。

「塩梅屋には、おいらがいるんだから、間に合ってますよね」

三吉は、まだ揚げ物には自信がなかった。そもそも熱い油が火事に直結しかねない揚げ物は、熟練が必要とされる。天麩羅専門の屋台が水辺に追いやられているのも、いざという時のためであった。

「それに、ここに書いてあるように、猫の蚤取《のみと》りなんてものをやってる手で、食べ物に触ってもらいたくないって、おいら思うんだけど」

三吉は釘《くぎ》を刺したが、

「それがしは烏賊《いか》焼きも得意だ」

武藤は無視した。

「烏賊焼き、いいですね」

季蔵は思わずにっこりして、

「あれは、とびきりの味なのですが、一度食べたきり。なかなか、屋台に立ち寄る暇がなくて、まだ、あの味が出せそうにないんです」

烏賊焼きは田楽《でんがく》や天麩羅と同様、屋台で売られている。また、烏賊は春から夏にかけてが旬である。

「旬のうちに、烏賊焼きを披露してください」

「そうか、近いうちに雇ってもらえるのだな。よろしく頼むぞ」

「こちらこそ」

武藤はおき玖が出した茶も啜《すす》らずに出て行った。

「ああ、やっといなくなった」

三吉がせいせいしたとばかりに呟いて、

「烏賊焼きなんて下卑なもん、何も、うちで出さなくても——」

上目《うわめ》使いに季蔵を見た。

「太郎兵衛長屋のお侍さんの話の続きをしてくれ」

季蔵が話を変えると、

「そうだったわね」

おき玖にも促されたものの、

「あれだけだよ」

三吉の目が泳いだ。

「三吉、もしかして、今いらした武藤さんは、太郎兵衛長屋に越して来た浪人さんなのではないか？」

「そんなこと――」

「惚《とぼ》けも嘘《うそ》のうちよ。それに、武藤さんを一時、うちで雇ったからといって、あんたに暇を出したりしないから、安心して続きを話してちょうだい」

おき玖はやや声を荒らげた。

「わかったよ、話すよ。あの人さ、太郎兵衛長屋で八のつく日に限って、末広がりは縁起がいいからって、長屋中の人たちに夕餉《ゆうげ》に手料理を振る舞ってるんだって」

「あそこだって、二十六人は住んでるから、たいした物入りじゃないの」

――それもあって、よろず商い屋で稼いでいるのだな――

季蔵は見上げた心がけだと思った。

「ほんとにおいら、これからもここへ来ていいんだよね」

念を押して、三吉が暖簾《のれん》を仕舞って帰った後、

「季蔵さん、お茶、どう？」

おき玖が茶を淹《い》れてくれた。

「ありがとうございます」

「どうしたの？　何か、考え込んじゃってるみたい」

「うちでは、とっつぁんの遺言代わりだと思って、ずっと熟柿を太郎兵衛長屋に届けてき

ました。でも、それは秋だけです。三吉が言っていた通りだとすると、武藤さんが手料理を振る舞うのは、見るに見かねてのことではないかと。わたしがあそこへ足を向けるのも、年に一度のことですし――」

「季蔵さんは、太郎兵衛長屋の人たちへの世話が、足りないんじゃないかって思ったのね」

「とっつぁんなら、どうしただろうと考えていました」

「おとっつぁんの気性なら、すぐに、太郎兵衛長屋まで様子を見に行くでしょうね」

「なるほど、そうですね」

季蔵の顔が晴れた。

「おとっつぁんの代わりに、あたしも連れてってちょうだい。ちょうどいい。明日は八日で八が付く日だし。実はあたしも、このこと、おとっつぁんにどう報《しら》せたらいいか、多少は悩んでたのよ」

そう言うなり、おき玖は長次郎の位牌《いはい》がある離れへと飛んで行った。季蔵は火の始末と戸締まりを確認して店を出て家路に就いた。

翌日、早々と仕込みを済ませて、二人は太郎兵衛長屋へと向かった。

「あたし、昨日の夜、目が覚めた時、ふっと思ったんだけど、どうして、おとっつぁん、太郎兵衛長屋にだけ、あんな手のかかる熟柿を届け続けてたのかしら？」

「恵まれないお年寄りたちを、滅多に味わえない口福《こうふく》で、心底、喜ばすためだと――」

「たしかにもっともな話だけど、この世の美味は熟柿だけじゃないでしょ。だから、どうしてなんだろうって。そもそも、何で太郎兵衛長屋なの？　お年寄りが多い長屋って、ほかに沢山あるわよ」

——これはいかん——

元奉行所同心の先代長次郎には、表と裏の顔があり、表は一膳飯屋塩梅屋の主、裏では、北町奉行烏谷椋十郎《からすだにりょうじゅうろう》の命《めい》で、隠れ者の任を果たしていた。

主家を出奔《しゅっぽん》して、長次郎と出逢《であ》い、侍の身分を捨てて、市井《しせい》の料理人として生きることとなった季蔵が継いだのは、表の塩梅屋だけではなかったのである。

おき玖はこの事実の片鱗《へんりん》さえも知らされていない。

三

——裏のお務めと関わっているのか、いないのか、わたしにも、まだわからないが、とっつぁんと太郎兵衛長屋には、よくよくの縁があるに違いない。あの光徳寺の安徳和尚《あんとくおしょう》のように——

毎年、年の瀬に手作りの寺納豆を届けてくれる、光徳寺の安徳と塩梅屋は、長次郎が亡くなった今もつきあいがある。

ただし、安徳は隠れ者の務め中に手傷を負った長次郎を助け、その裏稼業に気づいているにもかかわらず、長次郎との出会いを、季蔵に洩らしていただけだった。

――死ぬまでとっつぁんが隠し通していたことだ。お嬢さんには知られてはならない――

「とっつぁんも達者なら、きっと、ほかの口福も届けていたのではないかと思います」

季蔵が話の矛先を変える応《こた》え方をすると、

「そうだったわ。だからこうして、今から訪ねようとしてるのよね」

おき玖は頷いた。

太郎兵衛長屋の木戸門を入ると、突き当たりに山椒《さんしょう》の木がある。その傍《そば》に、腰の曲がった老婆が立っているのが見えた。

老婆は新芽の吹いてきていない枝を何度も指でこすって、

「早く、出ろ出ろ、山椒の芽、早く――」

念仏のように繰り返している。

「ご精が出ますね」

季蔵が声を掛けると、

「武藤さんがね、ぴりりと辛い山椒は煮炊きのいい味付けになるからって。新芽が出るの、待ってたから。あたし、美味《おい》しいもの、大好き」

無邪気に笑いつつ、歯の無い口でもごもごと応えた。

「その武藤さんの住まいはどこですか」

おき玖が訊《き》くと、

「いつの間にこんなところに？　こいつときたら、食い気は達者なんだが、もう、その手のことはちょっと――。すいませんねえ」

夫の老爺《ろうや》が老婆の肩に手をかけて、

「朝、出かけるとこを見たきりだから、武藤さんは留守だろう。家族も居るには居るが――」

「家族でもかまわないわよね」

おき玖は目で季蔵に相づちをもとめた。

「家族と言ってもねえ――」

老爺は当惑気味に二人を見て、

「ちょっと待っててくれ。こいつを隣に預けてくるから」

棟の裏側にまわってほどなく、戻ってくると、

「さあ、こっちだよ」

左手のどぶ板に沿って角まで歩いた。

「邪魔するよ」

閉まっている油障子に向かって声を張り上げたが、答えはない。

「それじゃ――」

老爺は建て付けの悪い油障子に力を込めた。

すると、目の前に、木綿の着物姿の若い女が立っていた。竈から食べ物の煮える、ぷん

といい匂いが流れてきた。

「武藤さんのおかみさんは、邦恵《くにえ》って名だそうだ」

邦恵と呼ばれた色白の女は、黒目がちの大きな目を瞠《みは》って、こくりと頷くと、竈に戻って、菜箸《さいばし》で鍋のアサリをかき混ぜ続けた。

「ここの旦那の得意のアサリだね」

老爺の言葉にまた、後ろ姿が心持ち前に揺れた。

「おかみさん、言葉が――」

おき玖が気がつくと、

「こんなに若くて別嬪《べっぴん》なのに――気の毒なことだ」

ひっそりと老爺は相づちを打って、自分の頭に人差し指を当てると、

「だが、こっちの方は確かで、武藤の旦那と二人、煮炊きをよくやってくれてる。ここで、はじめて食べさせてもらったのは、アサリの味噌《みそ》汁《しる》と飯だけだったが、米も味噌も一級品だった。この前の八の日は深川丼。そいつの煮汁が醬油と酒、味醂、砂糖だけじゃねえってえんだから、驚くじゃねえか。旦那が拵えた煎り酒《いざけ》とショウガが隠し味なんだとさ。その汁で煮たアサリの味は最高で、そいつを炊きたての飯にかけて、青いとこを微塵《みじん》に切ったネギと、焼いた浅草海苔《のり》をぱらぱら、もうたまんねえよ。武藤の旦那は〝安いアサリと、ネギは捨てるところばかりを使ってすまん〟なんて言ってたけど、ネギの青いとこは、今時分、緑の色がうれしいいし、アサリも旦那にかかっちゃ、鯛《たい》にも負けねえ美味《うま》さだよ」

ごくりと生唾《なまつば》を呑《の》んだ。

ちなみに煎り酒とは梅干しと酒を煮て、漉《こ》して作る。醤油の流通が十分でなかった頃から伝わる調味料であり、白身魚や貝の刺身、料理には欠かせない調味料であった。

塩梅屋では、先代の梅干しと酒だけのものを基に、鰹《かつお》を加えて鰹風味、昆布《こんぶ》に代えて昆布風味、味醂となると味醂風味という具合に、季蔵が変化を持たせている。

——深川丼に臭み消しのショウガだけでなく、煎り酒を隠し味にするとはなかなかだ——

季蔵は感心した。

「また、深川かな」

老爺が武藤の妻、邦恵が煮ている鍋を覗《のぞ》き込んだ。

「とにかく美味《うめ》えんだから、またでもかまわねえ、飽きねえよ」

——殻付きのままアサリを煮ているし、深川丼にするには煮すぎている——

深川丼は剝《む》き身を固くなりすぎないよう、さっと出汁《だし》で煮上げて、ぷくっとした口あたりを残すのが秘訣《ひけつ》である。

「あら、珍しい」

おき玖が水桶《みずおけ》に挿してある、緑の束を指さした。近づいて、しげしげとそれを見た季蔵は、

「セリですね」

話しかけられた邦恵は、やや顔を赤らめて頷いた。

「そういや、ちょっと前、武藤の旦那に、ここいらで摘み菜が出来るところはないかって、聞かれたことがあったんで教えた。あるんだよ、このすぐ近くにね」

ひたひたに煮汁を残して、竈から鍋を下ろした邦恵は、俎板の上に人参《にんじん》と牛蒡《ごぼう》を載せ、菜切り包丁を手にした。

青物の入っている竹籠《たけかご》の中にちらっと三つ葉を目にした季蔵は、

「お邪魔しました」

おき玖を促して武藤の長屋を後にした。

帰り道、

「あのお爺さん、お婆さんだけじゃなく、皆も食べるのが楽しみなのね」

おき玖が洩らして、

「おかみさんが下拵えしてた、あれ、いったい、何だったのかしら？　けっこうな量だったけど、変わり深川丼？」

首をかしげた。

「アサリなどの貝の旬は春ですし、セリや三つ葉は春の代表格、土の色の牛蒡、陽《ひ》の光を想わせる人参、春尽くしの炊き込みご飯を作るのではないかと思います」

「なるほど、ご飯と一緒に煮汁を炊き込むんで、アサリは殻付きで煮てたのね。だけど、肝心なこと、忘れてない？　炊き込みご飯なら、お米を洗って、笊《ざる》に上げておかないと

──」

この時、季蔵はなぜか無言だった。

「そ、そうだったのね」

おき玖はぽんと一つ、自分の額《ひたい》を張って、

「武藤さんが留守だったのは、お米を買いに行ってたからなんだわね。人数分のご飯を炊くお釜だって、損料屋《そんりょうや》から借りてこなきゃなんないし──」

季蔵は頷く代わりに、

「こんな時、とっつぁんならどうしたでしょう?」

「面と向かって、武藤さんにお礼までは言わないと思うけど、時々、うちに仕事に来てもらう。そして、もちろん、恩なんか着せずに、お米代の足しにしてもらおうってことぐらいは、やる人だったわね、おとっつぁんは。ただし、三吉ちゃんが要らぬ心配をしないようにしてあげないと──」

「三吉の方はお嬢さんにお任せします」

「わかったわ。このことも、ちゃんと離れのおとっつぁんに報せないと」

「そちらもよろしくお願いします」

「任せといて」

おき玖は今度は勢いよく胸を叩いた。

八の付く日の前日だけ、武藤を臨時雇いにすると決めた二人は、新町から木《こ》挽《びき》町に渡されている汐留橋《しおどめ》を渡った。風が身を切るように冷たく、川辺の景色も寒々としていた。

「いつになったら、舟遊びなんて言葉が似合うようになるのかしら？」

おき玖は船宿に繋《つな》がれている小舟を目で追っていて、

「あんなところに人が——」

俯《うつぶ》せの人型を指さした。

四

季蔵は小舟に向かって走った。

「行き倒れ？　急な病で？」

おき玖が追いかけてきた。

「それにしては物騒です」

俯せに倒れている者の右手には匕首《あいくち》が握られている。

きゃっと叫んだおき玖は、

「こんなところで自害だなんて」

ぶるぶる震えはじめた。

「自害ではないようです」

小舟に乗りこんだ季蔵が骸《むくろ》の首の辺りを見ると、赤い筋がはっきりと見えた。

「こ、殺されたのね」

「すみませんが、お嬢さん、人を頼んで番屋へ。松次《まつじ》親分に、このことを伝えてくださ い」

「わかったわ」

半刻《はんとき》（一時間）ほど過ぎて、岡っ引きの松次だけが駆けつけてきた。

「旦那はちょいとほかのお役目があってね」

普段は北町奉行所定町廻《じょうまちまわ》り同心の田端宗太郎《たばたそうたろう》も一緒なのである。

「それにまあ、こりゃあ、どう見ても、ごろつき同士の喧嘩の果てさ。最後は取っ組み合いになって、相手に首を絞められたんだろ」

お役目が長い松次は、よく光る金壺眼《かなつぼまなこ》で骸を見据えた。

死んでいた男は年齢の頃、三十五、六歳、太縞の褞袍《どてら》に三尺帯を結び、芥子《けし》玉《だま》絞りの手《て》拭《ぬぐ》いで頬被《ほおかぶ》りをしている。

ゆるりと着付けた褞袍の襟《えり》から、晒《さら》しと胴巻きが見えていて、匕首を握っていない方の手はするりと、のびていた。

典型的なごろつきの中年者であった。

「そうなのでしょうが――」

季蔵と松次は骸を小舟の中から持ち上げると地べたに仰向《あおむ》けにねかせた。

顔を確かめようとして、松次は頬被りを外すのに手こずった。鼻の下の結び目は解《ほど》けているというのに、手拭いが外《はず》れない。力任せに引っ張ると、びりっと音がして手拭いが裂けた。

「何だい、こりゃあ」

松次は手に残った手拭いの切れ端に付いている、一尺（約三〇・三センチ）ばかりの長さの髪の束を見つめて首をかしげた。

「ようは――」

季蔵は骸の頭に手を伸ばすと、ぼさぼさと伸び放題の蓬髪《ほうはつ》を持ち上げた。羽二重《はぶたえ》（かつら下）で小ぢんまりと無難にまとめられている、町人髷《まげ》の頭が現れた。足元はというと、黒土の付いた草履《ぞうり》を履いている。

「仏さんはぼさぼさ頭の鬘《かつら》を被って、粋《いき》な手拭いの頬被りが風で飛ばないよう、糊《のり》で付けてたってことかい？」

松次は目を瞠った。

「それと、この男《ひと》、お化粧してたみたい」

おき玖が口を出した。

松次が骸の太い眉《まゆ》を指でなぞると墨がべったりと付いた。

「目元だって、ほら――」

おき玖に言われて松次が両目の上下の縁《ふち》に触れると、やはり、黒い色が指に移った。

「こうなりゃ、とことん、やってやる」

松次は懐から手拭いを出すと、ごしごしと骸の顔を拭った。みるみる手拭いが黒く汚れていく。

「こいつは顔の色まで黒くしてやがってたぜ」

頬被りと鬘が外され、化粧が拭き取られてみると、骸の男の小作りな顔には、どこにも凄みが感じられなかった。むしろ、優しい柔和な顔貌《がんぼう》である。

「こうなってみると、似合わねえったらねえな」

松次はぞろりとだらしなく着付けている縕袍に顎《あご》をしゃくった。

「こちらも確かめてみてはどうですか」

季蔵に促されて松次は帯を解いて、縕袍を脱がせてみた。

「まだ寒いとはいうが、こんなにぐるぐる巻きにしやがって、情けねえ奴だ」

松次は骸が重ねている胴巻きの厚さに呆《あき》れた。

「縕袍って、そもそも大きく出来てるもんだけど、それにしても、この男には合わなかったんじゃないかしら？　それで胴巻きを重ねて誤魔化《ごまか》したのよ。身体に合わないものを買うわけないから、誰かに借りたのよ、きっと」

おき玖が呟いた。

「誰かといやあ、ごろつき仲間だろうが、友達が蓬髪の鬘まで持ってるわけねえし、持ってもいねえもんを貸せるわけはねえし、頬被りを糊で貼《は》り付けろなんて言うわけもねえ」

松次は季蔵を見た。

「ここにも妙なものがありました」

季蔵は鬘の毛の間から、薄紅色の花弁を摘《つま》み出して見せた。

「そいつは——」

「梅の花だわ」

「この近くに梅林は見当たりません。それに草履に付いていた黒土のある場所も、心当たりがありません。この男はここで殺されたのではないのです」

「別の場所で殺されて、運ばれてきたってわけかい」

「それと、殺《や》り合ったのでもないと思います」

季蔵は骸が握っていた匕首を手に取って、

「この通り、血の付いた痕《あと》も刃こぼれもなく、ぴかぴかで使われた様子がありません」

「それじゃ、どうしてこの男、ごろつきの形《なり》なんてしてるの?」

「そこまでは、わかりません」

「俺は貸し衣装屋を当たるぜ。市中に、古着屋ほどは数はないはずだから、何とかなる。この仏さんが自分で借りたんなら、店主は顔を覚えてるはずだ。誰かが借りて、殺した後、着せて鬘被せて、化粧したとしたって、まだ返してもらってねえ、絵に描いたようなごろつきの衣装一式と、この男の死装束《しにしょうぞく》がぴったり合やあ、借りに来た奴が下手人ってことになる」

「よろしくお願いします」

「まずは仏さんの似顔絵がいるな」

松次は人に頼んで、似顔絵描きを呼び寄せることにして、季蔵とおき玖の二人は、

「ご苦労だったな」

という松次のねぎらいに送られてその場を後にした。

この後、二人はいつものように店を開き、料理を拵え、客の相手をした。

最後の客が帰り、掛行灯《かけあんどん》の灯を落とし、三吉を帰した。

「どうかしましたか？」

季蔵は汐留橋で骸を見てしまったおき玖の様子が気になっていた。

塞《ふさ》いでいるというのではないが、一心に何か、強く思い詰めているように見える。

「わかっちゃったわね」

おき玖は苦笑いして、

「実はね――」

袂《たもと》の中から、萎《しお》れた緑の束を季蔵に手渡した。

「セリですね」

「骸の袖から、ちらっと見えたんで、とっておいたのよ。でも、その後、慌ただしかったもんだから。松次親分にはどうしても見せる気がしなくて」

「太郎兵衛長屋の武藤さんのところで見たせいですね」

「セリなんて探せば、どこにでも生えてるんでしょうけど、今年は春が遅くて、摘み菜の話もあまり聞かないもんだから。セリを見たのも、長屋のお爺さんから、もう、生えてい

るところがあるって聞いたのも、初めてだったし、あたし、すっかり、頭に血が上っちゃって――」

「武藤さんに疑いがかかってはいけないと思ったんですね」

「いけないことよね――」

「いや、わたしでもそうしたと思います。おそらく、とっつぁんでも――」

――お上《かみ》はとかく、些細《ささい》な証《あかし》を針小棒大に騒ぎたて、罪を認めさせることが多い――

「ああ、よかった」

おき玖はほっと胸を撫《な》で下ろした。

「それを預からせてください」

「もちろんよ」

季蔵は萎れかけているセリを生き返らせるために、大きな湯呑みに水を張って挿した。

「明日にでも新石町《しんこくちょう》の良効堂《りょうこうどう》さんのご主人佐右衛門《さえもん》さんに見てもらいましょう。何でも、草木はそれぞれ、生えている場所によって、ほんの少しずつではあっても、葉の形や茎や根の伸び方が違うものだと、佐右衛門さんに聞いたことがあるのです。佐右衛門さんは先祖代々、市中の野草のほとんどすべてを、押し葉や写生で残してきているのだそうですから、太郎兵衛長屋近くに生えるセリについても、きっと知っているはずです」

おき玖は知らずと手を合わせて、

「でも、ごろつきにセリは不似合いだわね。春の香を楽しむなんていう風流なんて、持ち合わせてなさそうだもの。ぺっと吐き出して踏み潰《つぶ》しそう。でも、あの死んでいた男、ごろつきじゃなかったのだから、いったい、何者なのかしら？」

ふと洩らした。

五

翌朝、季蔵はいつもより早く、炊きたての飯とネギの味噌汁で朝餉を済ませると、太郎兵衛長屋へと向かった。

「なっと、なっとぉーなっと。なっとーみそまめー」

長屋に近づくにつれて、納豆売りの声が聞こえてくる。

木戸門を入ると、納豆売りは武藤の家の前に立っていた。

「たたき納豆を頼む」

武藤の声がした。

たたき納豆とは納豆の粒をたたいて潰し、四角や三角の形にかためたものである。

「味噌豆もいかがで？」

まだ少年の面影を残している納豆売りは、おずおずと切り出した。

味噌にする前の大豆を蒸《ふ》かしたのが味噌豆である。

――三吉にもあんな頃があった。そして――

「小鉢に入れた味噌豆に、青のりと辛子《からし》を少々入れ、醤油か、煎り酒を垂らして、くーっとかき混ぜると、酒の肴にうってつけだ。だが、今はその日暮らしでゆとりがないゆえ、酒も滅多に飲まぬ。止めておこう」

武藤は味噌豆に未練を残しつつも、買いもとめることはしなかった。

――主家を出奔したわたしも、武藤さん同様、浪人の身でその日暮らしだった。塩梅屋の先代に遭わなければ、どんなことになっていたか――。この人のように、気晴らしの酒も控え、慣れぬよろず商いに精を出して、妻を養い、長屋の人たちに口福をもたらすことなど、できはしなかったろう――

「まいどありぃ」

納豆売りが隣の棟へ移ったところで、

「その節、ご挨拶《あいさつ》をいただきました塩梅屋でございます」

季蔵は声を掛けた。

「ああ、木原店の一膳飯屋――」

「季蔵と申します。昨日、寄らせていただいたのですが、お留守でしたので――」

「もしや、仕事?」

武藤の顔が輝いた。

「はい」

応えたものの、訊きたいことは別にあった。

「実は今年は春が遅いので、せめて味だけでも、一足先の春を、お客様方に賞味していただきたいと思っているのです。それで、八日後に烏賊尽くしの膳を出そうと思いつきました。どうか、お手伝いくださない」

「かたじけない」

武藤はぺこりと頭を下げた。

「昨日、こちらに案内していただいたご老人に、この近くに早々と、セリが新芽を吹いている場所があると聞きました」

季蔵は注意深く切り出した。

「ご老人？　それがしが摘み菜ができる場所を訊いたのは元三《げんぞう》さんだが、それが？」

武藤は邪気のない丸い目を向けた。

「元三さんに聞きそびれました。わたしも今から摘んで帰りたいので、教えてはいただけませんか？」

「なに、ここの木戸を抜けて、すぐ左の辻《つじ》を左へ曲がり、そのまま進むと小川が見えてくる。そのあたりにセリがぽつぽつと生えてきていた。ところで、セリを料理に使うつもりなのだろう？」

「ええ、もちろん」

「浸しなどの和《あ》え物に使えるほどは生えておらぬぞ」

「あなたがなさった工夫に学びました。ご新造さんが下拵えなさっていた青物や、煮炊きなさっていた様子でわかったのです。わたしは勝手に、春尽くしの炊き込みご飯と、呼ばせていただきます」

「そう言われると、こっちは季蔵さん、あんたの方の工夫が気になるところだ」

武藤が知らずと身を乗り出した。

「今日の夜、塩梅屋においでください。わたしの方の工夫を明かします」

「よし、わかった。これは楽しみだな」

やはり、武藤の目には、微塵も邪気が感じられなかった。

季蔵は長屋の木戸を出て、教えてもらった小川へと歩いた。

そこに立って、セリの新芽が固まって生えている場所を見つけると、中腰になって、摘み取られた箇所を探していく。

――ここだな――

セリが引き抜かれ、黒土が見えているところがあった。

さらに目を凝《こ》らすと大きさの違う草履の痕が見える。小舟で殺されていた男の草履には黒土が付いていた。

――やはり、ここで?――

突然、風が吹いた。

近くに落ちていた紙がふわりと巻き上がって、風に流されていく。

――もしや――

季蔵は紙を追いかけて摑み取った。武藤多聞が塩梅屋に残したものと同じ、仕事を乞《こ》う、自家製の引《ひ》き札《ふだ》である。それにはセリの汁が付いていた。

——武藤さんがここでセリを摘み、知らずと引き札を落として行ったのは間違いない。

ただし、なぜ、骸の主と会う必要があったのか？——

季蔵は向かい合った形でついている、草履の痕を見つめた。

ほかに草履の痕もない代わりに、争った痕もなかった。

——骸はここから引き摺《ず》られて運ばれたのではないが、それだけでは、武藤さんが手を掛けなかったという証にはならない——

季蔵は一握りのセリを摘むと、拾った引き札を懐にしまって、この場を離れた。

店に着くと、朝の挨拶もそこそこに、

「太郎兵衛長屋の近くのセリを摘んできました」

摘みたてのセリを湯呑みに挿して、昨日のセリと並べた。

「どれどれ——」

おき玖は挿してあるセリを見比べて、

「葉の形や付き方がまるで一緒——」

浮かない顔になった。

「では、早速、良効堂さんに見ていただきます」

季蔵は米と糯米《もちごめ》を洗って水に浸すと、人参と牛蒡、アサリを、それぞれもとめておくよう三吉に言い置き、

「それでは行ってきます」

湯呑みに挿したままのセリを岡持ちに入れて店を出た。

「今、薬草園においでの旦那様は、今年になって、初めての摘み菜です。野草の類は一番奥の畠《はたけ》です」

良効堂では手代が主の居場所を教えてくれた。

「塩梅屋でございます、お邪魔いたします」

振り向いた佐右衛門は穏やかな笑みを洩らした。

「これはこれは——、よいところにおいでなさった。春の菜の清々《すがすが》しい香りは、身体の血を清らかにしてくれますから」

佐右衛門は幼い頃から先祖の志《こころざし》を継ぎ、草木の薬効を探求してきた賜《たまもの》か、老成している印象を受けるが、実はまだ二十半ばの若さであった。

「実は見ていただきたいものがあるのです」

「わたしでわかりますかな」

「ご謙遜《けんそん》を」

「お役に立てればよいのですが——」

「これなのです」

季蔵は持参したセリを入れた湯呑みのうち、自分が摘んだばかりの方をまず、佐右衛門

に渡して、

「二葉町の太郎兵衛長屋から遠くない、小川の近くのセリです」

「これは、黒い湿った土の水辺に生える水《みず》セリです。料理に春の香りをもたらしてくれるだけではなく、風邪や冷え性、解熱、貧血を癒《いや》すなど、さまざまな効能があります。セリはまさに、春の神様からの贈り物ですよ」

佐右衛門は目を細めた。

「これも同じなのでしょうね」

次に渡したのは昨日のセリである。

「ほう――」

さっと、鋭い目を走らせた佐右衛門は、湯呑みから抜き取り、茎を折って頷くと、

「これを口にした方は？」

緊張した面《おも》持ちで、おき玖が骸の袖から取り上げたセリを指さした。

「いえ、誰も」

「それはよかった。こちらは毒ゼリです。水セリと同じように水辺に生えているので、間違うことが多くて困ります。これを水セリと間違って食すると、口の中がひりひりするだけではなく、ふらふらと眩暈《めまい》がして、歩けなくなり、ついには息が出来ずに亡くなってしまうこともあるのです」

佐右衛門は、常の和《なご》んだ顔に戻ると、

「水セリとの見分け方をお教えしておきましょう。毒ゼリの茎の中は、このようになっているのです」

折った茎の中が中空《ちゅうくう》になっている様を見せて、最後に、

「水セリには根茎がありませんが、毒ゼリの根茎は太く、唐芋《からいも》のようですが、中はタケノコのような節があります。これも見分けに役立ちます」

と締めくくった。

六

店に戻った季蔵は、セリとアサリのおこわを作りはじめた。

まずは、水に浸してあった同量の米と糯米をざるに上げ、たっぷりの酒と昆布風味の煎り酒、適量の味醂で殻付きのアサリを煮る。アサリの口が開いても、五十まで数える間、煮続けて味をしみこませ、火から下ろしてアサリと煮汁に分ける。この時、アサリは殻から身を取り出す。

人参、牛蒡、水セリは千切りにしておく。これらと煮アサリを、煮汁を含ませた米と糯米に加え、蒸籠で蒸し上げて仕上げる。

「あら、これ？」

おき玖が目を丸くした。

「炊き込みごはんをおこわに変えただけです。武藤さんの春尽くしにあやかってみました。

香り立つセリの匂いを皆さんに届けたくて――」

「おこわの方がちょっとだけ、他所《よそ》行き料理ね」

大きく頷いたおき玖は、やや声を低めて、

「ところで、良効堂さん、何とおっしゃってて？」

首尾を訊いてきた。

「昨日のと今日のとは、違うセリだそうです」

季蔵は佐右衛門の説明を繰り返した。

「あたしが隠した方に毒があったなんて――」

おき玖はぞっとして、一瞬、怯《おび》えた目になったものの、

「ああ、でもよかったわ。別のものなら、もう、疑いを武藤さんに向けることもないのだし――」

「ところがそうでもないのです。水セリと毒ゼリは同じ場所を好んで生えるそうで――」

――今日の朝、会った武藤さんの足は小さかった。あの場にあった小さい方の草履痕が武藤さんのもので、黒土が付いていた草履痕が、身の丈《たけ》も大きかった骸のものなのでは？

それに、何よりこの証――

季蔵は懐から武藤の書いた引き札を出して見せて、草履痕についても思うところを話した。

「そうなると、武藤さん、あの骸の人と揉《も》めて、喧嘩になって、あんなことになったって

言うの？」

「小柄な武藤さんが、あの身の丈のある骸を小川から汐留橋まで、背負い続けて運べたと思いますか」

季蔵は争った痕も引き摺った痕もどこにもなかった事実を明かした。

「それじゃ、武藤さんは、その場所で相手に会っただけで、殺してないってことになるわね。ああ、ほんとうによかった。そうだ、よろず商いの引き札が落ちてたのは、きっと、仕事で会ってたからよ。きっとおかみさんのためだわ。気がつかなかった？　あの口がきけないおかみさんが、帯をゆるめて着付けてたこと。おめでたなのよ」

おめでたと聞いて季蔵は啞然《あぜん》としつつ、

「それもあってお嬢さんは、咄嗟《とっさ》に毒ゼリを隠したんですね」

「武藤さんがお縄になったりしたら、生まれてくる子は、おとっつぁんがいなくなっちまうもの。子供は両親が揃ってるのが一番幸せ――」

おき玖は言葉を詰まらせた。おき玖の母親は、おき玖が幼い時に亡くなっている。

するとそこへ、

「邪魔するよ」

油障子を開けた松次がずんずんと入ってきて、床几に腰掛けた。

「はい、親分」

おき玖はすかさず甘酒を運ぶ。

松次はなかなかの食通ではあるが、悲しいほどの下戸《げこ》で、つきあい酒もままならず、酒と名の付くものは甘酒しか口にできなかった。

「小腹がお空《す》きでは？」

「何か、美味いもんでもあるのか？」

「セリとアサリのおこわが今、蒸し上がったところです」

「セリか。そりゃあ、春らしくていいな」

松次の目尻が下がった。

こうして、季蔵は松次が三膳ほどぺろりと平らげて、茶を啜り終えるのを待って、

「あの件のお調べの方はいかがなりましたか？」

訊かずにはいられなかった。

「市中の貸し着屋を一軒残らず調べたさ。近頃は古着屋や損料屋まで、別商いで貸し着屋に手を広げてるんで、思いのほか手間取った。南八丁堀の松次といやあ、ちいっとは知れた名だから、まあ、何とかなったんだ。だが、こんなに俺たちが足を棒にしたってえのに、分かったことは、あんまりお粗末すぎて——」

「殺されていた男の身元、わかったんですね？」

おき玖も口を挟んだ。

「呆れたことに、仏さんは津田屋七左衛門《つだやしちざえもん》だった」

おき玖と季蔵は顔を見合わせた。

津田屋といえば、尾張町《おわり》の老舗《しにせ》の扇子問屋で、当代の主の七左衛門は八代目である。

――商い絡みの殺しかもしれないが、なにゆえ、扇子屋の主があのような形で殺されたのだろう？――

季蔵は見当がつかなかった。

「お内儀《かみ》さん、さぞかし悲しまれたでしょうね」

おき玖は察して目を伏せた。

「それがね、そうでもねえようなんだよ――」

松次は苛立《いらだ》ちの捌《は》け口代わりに、ぎりっと歯ぎしりした。

「はい、親分、お代わり。ちょっと冷めてるけど、こんな時はかえっていいでしょ」

おき玖がすかさず甘酒を出すと、

「気が利くな。ありがとよ」

湯呑み酒のように、ぐいっと一気に飲み干して、

「何でも、津田屋は若い時から、三度の飯より芝居好きで、芝居小屋に通うだけじゃ物足りず、貸し着屋の上得意だったそうだ。貸し着屋ってえのは、そもそも、着物だけじゃなく、髪や持ち物、化粧なんかもすっかり請け負って、こっそり、侍が町人に、町人が物乞《ものご》いに、男が女に化けたりする、遊びの手伝いをする商いだろ。そんなことをする奴の気がしれねえが、津田屋は小町娘の女房を娶《めと》っても、いっこうにこのなりきり遊びを止めようとはしなかったんだとさ。花火見物なんかの折には、花火職人が女に騒がれるってんで、

その形《なり》をして、大川の土手に立ってたこともあったそうだ。ここまでは、津田屋がごろつきの身なりを借りた、貸し着屋衣着子屋《きつねや》の話だ」

「お内儀さんは、たまらなかったはずだわ」

「相手が女なら、まだ、諦《あきら》めがつくって言ってたね。たとえ、自分の腹は痛めていなくても、跡継ぎの子供ができるんだから――。津田屋夫婦は祝言《しゅうげん》を挙げて、もうかれこれ、七年も経《た》つってえのに、まだ、一人の子も授かってねえんだ。とにかく、女房は亭主の悪い癖に慣れきってて、前の日に出かけたきり、翌朝になっても、店に帰って来なくても、たいして案じようとはしなかった。奉行所に届けを出さなかったのも、おおかた、なりきり遊びにうつつを抜かしているんだとばかり思っていたからだそうだ。亭主が殺されたと報されても、涙一つ見せず、いつか、こんなことになるだろうと思ってたと俺に言った。昔は小町と謳《うた》われただけあって、めっぽういい女なんだが、長い間、夫婦仲が冷え切っていたせいかね、つんけんしてる瘦《や》せぎすで、とりつくしまがなかった。銭《ぜに》を貰《もら》うのが当たり前と思ってるわけじゃねえが、報せてくれてありがとうの礼もなかったんだから、驚くよ」

　ここで松次は深々とため息をついた。

「津田屋さんを殺した下手人の見当は？」

　季蔵は核心に触れた。

「なりきり遊びでごろつきの親玉になったのはいいが、本物のごろつきにでも絡まれて、喧嘩を売られ、あんなになっちまったんじゃねえかと思う。津田屋が持っていたはずの財布がなくなってるのもその証だ。市中にごろつきの数は少なくねえ。その場を見ていた者でも出てこねえと、こりゃあ、お縄にするのはむずかしいぜ。津田屋のお内儀が、お縄にできねえ俺たちにけんもほろろということになると、こりゃあ応える。よく働いてくれた下っ引き連中は苦労のし損だ」

松次が空になった湯呑みをぐいと差し出したので、あわてて、おき玖がお代わりを差し出した。

季蔵は三吉に指図して、蒸し上がって、いい具合に冷ましたセリとアサリのおこわを全部、俵《たわら》型に握って重箱に詰め、

「わたしどもにできる労《ねぎら》いは、このくらいのものです。皆さんで食べてください。ご苦労様でした」

松次に差し出した。

「愚痴がすぎちまった」

「津田屋さんとの縁は、こちらから持ち込んだことですし――」

「悪いね」

重箱を受け取った松次は、

「連中、やっと春が来たって大喜びするさ」

浅く頭を下げかけて、

「思い出したことが一つある。津田屋が通ってた貸し着屋衣着子屋の主が、津田屋の口利きで、俺が今、はいてるような股引《ももひき》と、芝居道具の十手《じって》を、侍に貸したんだそうだ。払いは津田屋が持つというんで、何のためらいもなかったんだと」

「どんな方でした？」

季蔵は息を詰めた。

「それがね、津田屋の知り合いだというから、この癖に嵌《はま》ってる金持ちだとばかり思ってたそうなんだが、実はすかんぴんの浪人者でね。衣着子屋の主は、二人がどういうつきあいなのか、気にかかったそうだよ」

七

「そのお侍って――」

おき玖は思わず口走ったが、季蔵は表情を変えていない。

「心当たりでもあるのかい？」

松次は訝《いぶか》しげに訊いたが、

「ううん。たとえ、すかんぴんでも、おかしな道楽をするもんだなと思っただけよ」

おき玖は取り繕《つくろ》った。

そして、松次が出て行ってしばらくの間、二人は沈黙を続けていた。

「武藤さんまで形《なり》を変えようとしていたなんて――」

おき玖は止めていた息を吐き出すかのように洩らし、

「これで津田屋さんと武藤さんが、つながったようです」

季蔵が言い切ったところで、

「邪魔をする」

戸口から武藤が入ってきた。両手に大きな風呂敷包みを抱えている。息を切らしていて、顔が青い。

それに約束は夕刻のはずである。

「早すぎたかな」

「いえ、それはかまいませんが、春料理の方は試作を、昼餉代わりに食べ尽くしてしまったところです。召し上がっていただくものが今はございません」

「茶、茶をもらえぬか」

「はい、はい」

武藤はおき玖が差し出した湯呑みの茶をがぶがぶと飲み干した。

「どうか、されましたか？」

ここでやっと季蔵は訊いた。

「どうやら、このままでは、それがし、罪人にされてしまう」

武藤の声が震えた。

「津田屋さんに行かれたのですね」

季蔵はずばりと訊いた。

「なにゆえ、おぬしが津田屋を知っているのか？」

武藤は度肝を抜かれた様子で、大きく目を瞠った。

「実は――」

季蔵は昨日、武藤を訪ねて不在だった太郎兵衛長屋からの帰りに、偶然、見つけた津田屋七左衛門の骸についての話をした。

「番屋に報せはしましたけど、あたしたち、もうすぐお父さんになる武藤さんの味方です」

おき玖が言い添えた。

季蔵は太郎兵衛長屋近くの小川の岸辺に生えていた、二種のセリや草履痕についても告げた。

「ただし、これは誰にもまだ話していません」

季蔵は言い切ったところで、

――証という証が、武藤さんが下手人だと示している。なのに、どうしてここまで、潔白を信じられるのか？　お嬢さん同様、貧しい暮らしの中で、人に振る舞うだけではなく、父親にもなるという身の上に、過度の想いを寄せているのだろうか？――

常になく情緒的になっている自分に気がついた。

「なるほど、そうであったのか」

武藤は苦く頷いて、

「そこまで知っていて、それがしの無実を信じてくれるのは、何と有り難いことか――」

うつむいて声を詰まらせた。

その姿が何とも痛々しく、

――瑠璃《るり》が武藤さんの妻女ほど達者で、わたしたちの間に子が出来ていて、このような難儀が降りかかってきたとしたら？　自分が打ち首になる覚悟はあっても、残していかなければならない、愛《いと》おしい者たちの今後が案じられて、きっと藁《わら》をもつかむ思いになるだろう――

幼馴染《おさななじ》みの瑠璃は、生木を裂くかのような、苛酷《かこく》な運命に翻弄《ほんろう》されて季蔵と別れさせられ、再び巡り会った時に起きた、凄惨《せいさん》な現実を受け止めかねて、ほとんどすべての記憶を失い、幼子《おさなご》のような無邪気さだけになっていた。

瑠璃は北町奉行烏谷椋十郎が馴染んだ元芸妓《げいぎ》の家で、長く寝たり起きたりの療養を続けている。夏風邪一つでも命取りになりかねない病状は、一進一退で、町人髷の季蔵が元許嫁《いいなずけ》の堀田季之助《ほったとしのすけ》だとわからぬ日の方が多い。

――我と我が身に照らし合わせて、のめり込みすぎている――

季蔵は心の中できつく自分を叱《しか》りつけた。

「風呂敷の包みの中は、岡っ引きの貸し着や作り物の十手でしょう？」

――何としても、無実の証を立てなければ――。それには、冷静でいなければ――

「その通りだ」

武藤は風呂敷の包みを解いて、

「借りに行った先は、貸し着屋の衣着子屋だったが、言われた仕事をこなしたわけではなかったので、まずは、津田屋七左衛門に仕事料を返し、その帰りに衣着子屋に寄るつもりでいた。それがし、武士たるもの、労せずして見返りを得てはならぬと思っている。ところが途中、津田屋の主がおかしな形で死んだと、瓦版屋《かわらばんや》が大騒ぎしているのに出くわした。昨日の早朝、それがしは津田屋と小川近くで会っている。衣着子屋の主もそれがしのことを知っている。これはもう、間違いなく、それがしに疑いが向く。どうしたものかと思いつつ、気がつくとここへ辿《たど》り着いてしまった」

思い詰めた目を宙に泳がせた。

「津田屋さんが頼んだ仕事というのは、どんなものでした？」

「瓦版屋はおかしな形をするのが癖だったと言い立てているが、津田屋はそれがしにもおかしな形をして、自分が書いた芝居に出てほしいと言ったのだ。よろず商いなら、役者とてやりこなせるはずと言うのだ。妻が身重《みおも》で、高い仕事料に惹かれなかったといえば嘘になる。だが、昨日の朝、やっと空が白みはじめた頃、津田屋から仕事料を渡すからと、小川近くに呼び出された時、あまりにおぞましいごろつきぶりに、一瞬、誰だかわからなかった」

「どんなお芝居でしたか？」

「津田屋は、偶然、町で遭った幼馴染みに昔の恩返しがしたいと言っていた。七年前、小町娘だった今のお内儀の気を惹くために、幼馴染みの男に悪役を演《や》らせたそうだ。祭りの日、示し合わせて小町娘の後を尾行《つけ》、女友達と別れて、一人になったところを、ごろつきに扮した幼馴染みが、匕首で脅して襲いかかろうとしたところを、津田屋が勇ましく助けるという筋書きだったそうだ。今度はその逆を演ってみたいということだった。しかし、それ以来、すっかりなりきりと芝居に嵌り、夫婦仲などどうでもよくなったとも、津田屋は言っていた。今回は、どうしても偽ごろつきの自分をお縄にする、岡っ引きの役回りがなくてはならないと、津田屋は切に思ったのだそうで、それがしが雇われたのだ」

「偶然、遭った幼馴染みの男の素性は？」

「何でも、寄場《よせば》帰りだそうだが、若い時は惚《ほ》れ惚《ぼ》れするような男前、今でもその名残りは多少あるので、これと目を付けた大店《おおだな》の一人娘の入り婿になるのを狙《ねら》っているのだという。猪之助《いのすけ》という名だとは聞いている」

「目を付けている大店の名は？」

「話してもくれなかったし、尋ねもしなかった。示し合わせた通り、昨日の昼前、芝の通称金梅亭《きんばいてい》という豪商の寮の裏庭へ行き、駆けつけたふりをして、〝おうおう、なにやってやがんでい〟と町人言葉を吐いて、十手を振り回しつつ、〝神妙にしろ〟と止《とど》めを刺し、すでに猪之助が組み伏せている津田屋をお縄にするのが、それがしの仕事だった」

「ところが、仕事にはならなかったのですね」

「岡っ引きの風体《ふうてい》で行った金梅亭の裏庭で、一刻半（約三時間）は待った。だが、当の津田屋だけではなく、誰も、それらしき者たちは現れなかった」

「津田屋さんからの報せは？」

「その前もそれ以後も何の報せもなかった。骸になっていたのだから、報せようもなかったろうが」

「金梅亭の裏庭で気づいたことはありませんでしたか？　どんなことでも結構です。思い出してください」

季蔵は必死の眼差《まなざ》しを向けた。

「そう言われても――。そういえば、梅の花が散っている場所があった。まだ、梅は咲き始めたばかりだというのに――」

――たしか、津田屋さんの骸の鬘には、梅の花びらが付いていた。ごろつきの姿の津田屋さんは、セリの生えていた小川近くではなく、金梅亭の裏庭で殺されたのだ――

「武藤さん、大丈夫です。散っていた梅の花があなたの身の潔白の証になりました。今少し、ここで待っていてください」

季蔵はそう言い置くと、店を出て金梅亭へと向かった。

金梅亭の主は、

「裏庭の梅ですか？　あれだけは早咲きで木の丈も短く、今が満開です。ただし、昨日は心ない人たちが、朝早くから、この木のそばで喧嘩でもしたのか、昼過ぎて気づいた時に

ていた所を見つけた。

は、最後だというのに、可哀想《かわいそう》に、すっかり花を散らしてしまっていて――」
憤怒《ふんぬ》の面持ちで言い、案内してもらった季蔵は数知れない草履と、争った痕がまだ残っている所を見つけた。

――梅の花が散ったのは、下手人が抗《あらが》う津田屋さんを幹に押しつけて、首を絞め続けたせいだろう――

花がまばらになっている梅の木の幹には、津田屋が被っていたと思われる、鬢の毛が付いていた。季蔵が斜め上に両手を伸ばすと、そこに届く。

――下手人は津田屋さんと身の丈があまり変わらない、武藤さんより、ずっと大きな男だ――

確信した季蔵は番屋へと人を走らせた。

第二話　烏賊競《いかくら》べ

一

この後、季蔵《としぞう》から、真の下手人がお縄になったと聞いた武藤《むとう》は、安心して家に帰った。

翌日、塩梅屋《あんばいや》に立ち寄った松次《まつじ》は、

「ようは、津田屋《つだや》の上をいく芝居上手が居たってことだよ。とんだ悪党どもだ」

金壺眼《かなつぼまなこ》は怒らせたままだが、満足げに甘酒を啜《すす》った。

津田屋七左衛門《しちざえもん》が殺される前日、貸し着屋の衣着子屋《きつねや》は、猪之助《いのすけ》から金包みと引き替えに、津田屋に文《ふみ》を渡すよう頼まれていたことを明らかにした。

こっそり、盗み読みしたその文には以下のようにあったという。

――察しはついていると思うが、目当ての娘とは、実はもう、深い関係にある。俺が寄場帰りなんで、反対しているのは、三国一《さんごく》の婿取りを目指している父親だ。難儀だが、ここは何としても、あの芝居で切り抜けたいと思う。娘に勧めて、このところ風邪《かぜ》が長引いている父親のために、今日から、お百度を踏ませることにした。折良く、その神社は金梅亭《きんばいてい》の近くだ。お百度を終えた娘が、梅の香に釣られて、金梅亭に迷い込み、通りかかったごろつきに襲われるということにしたい。金梅亭での芝居は、人気《ひとけ》のない朝六ツ前（夜明け前）に変更したい――

衣着子屋は津田屋が市中に出ての芝居の日は、なりきりを楽しむため、演じる役の形《なり》のまま、自分のところに泊まり込んで出入りすることや、この日、早朝、ごろつきの姿で出て、雇った岡っ引き役の浪人に、仕事料を渡すことも、猪之助に伝えてあったのである。そして、衣着子屋が猪之助と通じているとは知らない津田屋は、武藤と会って衣着子屋に戻って来るなり、文を見せられ、あわてふためいて、金梅亭へと走って行った。

もとより、目当ての娘などいるはずもなかった。猪之助はかねてから、津田屋の内儀う良《ら》と情を交わしていて、二人は共謀して七左衛門を亡き者としたのであった。

「猪之助さんから、あたしがうちの人に助けられた話が、芝居だったと聞かされた時ほど、腹わたが煮えくりかえったことはありませんでした。あたしにとって、あの時のことだけが、夫婦《めおと》でいる理由だったたんですから。出会いまであの人の芝居の一部だったたなんて、とても許せることじゃなかったんです。ですから、もとより、死んでも悔いはありません」

捕縛された時、おう良はすでに覚悟を決めていたという。

「猪之助、おう良の二人は即刻、打ち首と決まった」

こう言い残して松次が出て行くと、

「猪之助って人、殺すと決めた津田屋さんに、お内儀《かみ》さんのおう良さんと、いい仲になってるってこと、言ったのかしら？」

おき玖《く》は切なそうにため息をついた。

「気になりますか？」

「ええ。なりきりのごろつきにセリは不似合いだもの。だから、津田屋さんが袖に毒ゼリを入れてたの、食べられる春を見つけたつもりで、お内儀さんを喜ばそうとしたんじゃないかって。誰でもこの時季のセリはうれしいもんでしょ」

「たしかに。水セリと毒ゼリはなかなか見分けられないそうですから」

「まさか、津田屋さん、毒ゼリと知ってて、摘んだんじゃないわよね」

「二人のこと、とっくに気づいてて、毒ゼリで殺そうとしたってことだって、あるんじゃねえかな」

興味津々で、今までずっと聞き耳を立てつつ、口を慎んでいた三吉《さんきち》が、堪《こら》えきれずに呟《つぶや》いた。

――そうなると、また、別の芝居の舞台が見えてくるな。人の振る舞いや心は底知れない――

「まさか‼」

おき玖は三吉を一睨《にら》みして、

「いくら芝居好きとはいえ、恩を返そうと、昔の友達のために一肌脱ごうとしたんだもの、津田屋さんは優しい心根の持ち主だったはず——。夫婦だけじゃなく、男と女って、想《おも》いやってるつもりが、まるで通じていないこともあって、いつ沈むともわからない舟なんだわね」

おき玖はしみじみと言い、

——わたしだとわかってくれることの少ない瑠璃《るり》との舟だけが、沈みかけているわけではないのだ——

季蔵はとかく、悲観しがちな瑠璃との間柄を糺《ただ》されたような気がした。

季蔵に水セリと毒ゼリの見分け方の指南をした翌日のこの日、良効堂《りょうこうどう》の佐右衛門《さえもん》は、平地に生え、食用に適し、栽培ができる旱芹《はんきん》を季蔵のもとに届けてきた。うっかり、見分けを誤ることを危惧《きぐ》してくれているのであった。

セリがたくさんあるので、季蔵は二種のおこわを作った。

「まだ、武藤さんとの約束を果たしていないので」

一種は握って松次に持たせたセリとアサリのおこわであった。

もう一種は、セリをはじめ、牛蒡《ごぼう》や人参《にんじん》の具はそのままで、アサリを烏賊《いか》に替えてみた。同じ魚介類でも、烏賊の煮汁の味は、ややくせのあるアサリとは違って、濃厚ではあってもさらりと馴染《なじ》む。

それに烏賊は瑠璃の好物であった。

――瑠璃とも約束を果たせず仕舞いになっている――

まだ手習いに通っていた子供の頃、季蔵は弟と共に、こつこつと溜《た》めた銭で市中に繰り出し、あこがれの屋台を食い倒したことがあった。

兄弟の家は台所事情が常に厳しく、何かと母親は料理を工夫していたが、粗食は育ち盛りの男子には物足りなかったのである。

二人は鮨《すし》や天麩羅《てんぷら》、烏賊焼き等をお腹《なか》一杯食べるのが夢だったのである。

――隠れ食いがあれほど楽しかったとは――

この時、食べたものの話を、美味《うま》いんだぞ、凄《すご》いだろうと、季蔵は瑠璃に話して聞かせた。

「また小遣いを溜めてやってみたい。今度は瑠璃も一緒だ。三人で行こう」

「本当でございますか？」

瑠璃はぱっと目を輝かせて、

「三人分はご無理をかけますので、わたくしは烏賊焼きだけをいただきとうございます」

「瑠璃は烏賊が好きだったのか？」

「はい。里芋と一緒に甘辛味で炊くと、烏賊のあっさりと丸みのある旨味《うまみ》と風味が、里芋にも移って何とも美味です。大好きなのでございます。洩《も》れ聞くところでは、市中の屋台の烏賊焼きは、これに勝《まさ》る美味《おい》しさであるとか――」

「わかった、必ず、連れて行くぞ、約束する」

この時の季蔵は、二人して市中に出て、烏賊焼きの屋台の前に立つことなど、難なく実現するはずだと確信していた。

――すぐに連れて行ってやればよかった――

季蔵が瑠璃と連れ立って市中を歩くことは、この後、もう無かった。

――これほど酷い運命が待っていようとは――

残虐非道にして放蕩《ほうとう》者の主家の嫡男《ちゃくなん》に横恋慕された瑠璃は、家老職にあった家の存続のために、側室となる道を選び、許婚《いいなずけ》だった季蔵は、身に言われのない罪を着せられ、自害に追い込まれかけて、出奔《しゅっぽん》するしかなくなったのである。

季蔵は蒸し上がったセリと烏賊のおこわを重箱に詰めて、南茅場《かやば》町にあるお涼《りょう》の家へと向かった。

正気を失った瑠璃は、庭付きのこぢんまりとした二階屋で病を養っている。

途中、烏谷《からすだに》と親しく、今は長唄《ながうた》の師匠をしている、元芸妓《げいぎ》お涼からの文を読み返した。


今年は寒さがなかなか緩みませんが、幸い、瑠璃さんは風邪を引かずにいます。ただ、夜、二階に物音がして駆けつけてみると、階段の中ほどに座っているのです。そんなことをしていては風邪を引くからと、部屋に連れて行くのですが、眠ってはいない様子です。昼寝も短くて。お医者様は、瑠璃さんがこのような病に罹《かか》ったのは、もともと、心が揺れやすい性質《たち》で、ちょっとしたこと、たとえば、時季の移り変わりによる、風や陽の光の変わり様にも、並でない応《こた》え方をするので、たいそうな疲れが出るのではないかとおっしゃるのです。時季の変わり目は、用心するようにとも。このところ、眠る時が短いだけではなく、召し上がりものが少なくなっているのが気にかかっています。

「まあ、早速、いらしてくださったんですね」

大年増《おおどしま》となった今でも、歌麿《うたまろ》の美人画から抜け出たかのように姿のいいお涼が、すっきりと伸びた背中を屈《かが》めて微笑《ほほえ》んだ。

「瑠璃さんはお休みになっています」

「昼寝ですね」

――昼寝とて、眠る時が増えるのは悪くないはず――

季蔵のほっとした表情に、

お涼の目も和《なご》んで、

「よかった」

「瑠璃さん、朝になっても目を覚まさないんで、案じて、先ほど、お医者様に来ていただいたんです。先生は、瑠璃さんだけが感じてる一足早い春に、やっと慣れたんだろうっておっしゃってました。たくさん眠らせて、精のつくものを食べさせるようにと――」

食の充実が瑠璃のような病人の肝《きも》であることは、再三、医者から注意を受けている。ただでさえ細くなりがちな食を、何としてでも、人並みほどに保つことが肝要だった。

二

季蔵はお涼に促されて二階へ上がり、瑠璃の枕元に座った。

眠っている瑠璃の目から頬《ほお》へと涙が流れ落ちている。

――きっと、辛《つら》い夢を見ているのだろう――

季蔵は胸が痛んだ。

瑠璃は無理やり側室にされた嫡男の夫と、長崎奉行を務めたことのある舅《しゅうと》が、雪見を楽しむ屋根舟の中で、血で血を洗う殺し合いをして互いに果てるという、この世の地獄を目《ま》のあたりにして、正気を失ったのである。

――あの時、わたしが居合わせていたのも、瑠璃の心の痛手だったのかもしれぬ――

すでに料理人だった季蔵は、元主家の嫡男鷲尾《わしお》影守《かげもり》の極悪非道を糺すよう、烏谷から命じられ、屋根舟に同乗して、雪見鍋でもてなすことになった。

――わたしも瑠璃も、共に、あまりにも意外な再会だった――

雪見舟の料理人が、かつての堀田《ほった》季之助《としのすけ》、季蔵であることを影守は知っていた。

そして、瑠璃は残虐な性癖の夫に引き立てられるように屋根舟に同乗した。愛し合う二人の間に割って入った影守は、変わってしまった季蔵と瑠璃を会わせて、さらにまた嬲《なぶ》り、絶望感を募らせるつもりであったにちがいない。

——正気を失う直前、瑠璃の目は我が身を恥じていた。〝わたしはもう、汚れた身——〟と泣いていた。恥じなければならないのは、瑠璃を置き去りにしたわたしの方だというのに——

季蔵は、ふと、甲斐甲斐《かいがい》しく立ち働いていた武藤《むとう》の妻、邦恵《くにえ》の姿を頭に浮かべた。たとえ口が不自由であっても、生き生きと輝いていた、その表情を——。

——主家を出て来る時、瑠璃を連れてきてさえいれば、あのように元気でいてくれたかもしれぬ——

季蔵は瑠璃が目覚めるまで待った。

半刻（約一時間）ほどして、瑠璃は目覚め、

「季蔵さんが届けてくれたものですよ」

お涼が運んできた膳の箸《はし》を握らせた季蔵の顔をまじまじと見て、

「季之助様？」

少女のようなあどけない物言いをした。

さらに、短冊型に切っておこわの上に載せられている烏賊を摘《つま》んで口に入れ、

「美味《おい》しい、季之助様」

にっこりと笑った。

一瞬だったが、その目は煌《きら》めいて見えた。

「そうだとも、瑠璃、おまえの季之助だよ」

喜びとも切なさともつかない想いが全身を突き抜けて、季蔵は鼻の奥がつんと痛くなった。

季蔵は瑠璃が二膳目をゆっくりと食べ終えた後、お涼の家を出た。

塩梅屋に戻り着くと、

「邪魔をしておる」

武藤が訪れて、甘酒をちびちびと啜っていた。

「いける口だから、お酒をお勧めしたんだけど、昼酒は断じて召し上がらないっておっしゃるんだもの」

おき玖が苦笑した。

松次のような下戸《げこ》ではない、武藤の湯呑《ゆの》みの甘酒はあまり減っていない。

「これ、武藤さんから——」

おき玖が重箱を掲げて見せて、

「セリとアサリの炊き込みご飯」

「ありがとうございます」

頭を下げる季蔵に、

「助けてもらったせめてものお礼を届けたまでのこと——」

あわてて、武藤は床几から立ち上がった。

「いただいてもよろしいですか？」

季蔵はおき玖に渡された重箱の蓋《ふた》を開けて、人数分、小皿に分けて、

「うちのおこわの方も同じように分けてくれ。アサリの方だけでいい」

三吉に耳打ちした。

こうして、小皿が二皿ずつ、各々《おのおの》の前に並んだ。

「こちらはおこわであろう？」

武藤は艶々《つやつや》と糯米が光るおこわをちらりと見た。

「拵《こしら》えて待っておりますと約束した一品です。そちらへ伺った折に思いついたのです」

「セリとアサリの飯競《くら》べか。飯の中身の人参や牛蒡まで一緒なんだから、ぱっと見は変わんねえなあ」

「料理はね、ちょっとの違いが大きな違いなのよ」

三吉とおき玖が箸を手にした。

「ほろほろしてる炊き込みご飯は、幾らでも、お代わりができるよ。おこわの方は、糯米が入ってるだけなのに、ずっしりしてて、そうは食えない」

三吉がしたり顔で洩らすと、

「炊き込みご飯は春がふわりふわりと降ってきて、逃げてしまわないように、夢中で掻《か》き込んで食べる。おこわの方は、春を押しいただいて、有り難く、噛《か》みしめるって感じね。どっちの春もあたしは好き」

おき玖は季蔵と武藤の両方に微笑むと、

「あたしだけじゃなく、お客さんたちも、こんなとりどりの春を味わいたいんじゃないかしら？」

日を決めて、武藤に働いてもらうべく、さりげなく話を転じた。

「わたしもそう思います」

大きく頷《うなず》いた季蔵は、おき玖と話し合っていた案を口にした。

「まずは烏賊三昧《ざんまい》を、是非とも、お手伝いください」

「かたじけない」

武藤は前よりも深く頭《こうべ》を垂れた。

「三吉ちゃん、今の季蔵さんの案だけど、言いたいことがあったら、言ってもいいのよ」

おき玖は三吉に不安を抱かせないように気を配った。

「烏賊なら、おいらんちでも、始終、食ってる。あじやいわしと同じで、どの家でもきっとそうだろ。いつも食ってて、三昧なんだから、今更《いまさら》、烏賊三昧なんてのじゃ、当たり前すぎる。ここはどんだけ、烏賊を美味《うま》く料理できるかって、競べっこじゃないと、締まらねえんじゃないかな」

意見をもとめられた三吉はまんざらでもないのか、座った小鼻が常より大きくなった。

「なるほど、小僧、それは一理あるな」

武藤は笑顔で頷いた。

——何だ、小僧かよ——

今度は三吉の両頬がぷっと膨《ふく》らんで、

「おいら、小僧じゃねえ。三吉って名がある」

噛みつくような口調になった。

「三吉、いい名だ。それになかなか、いいことを言う」

武藤は意に介する様子もなかった。

「張り切る三吉は頼もしい」

季蔵は優しい目を三吉に向けて、

「それではこうしよう。わたし、武藤さん、三吉が、それぞれの烏賊料理で競い合うのだ」

「えっ？　おいら、季蔵さんを手伝うんだとばかり——」

三吉は目を白黒させた。

「おまえだって、そろそろ、一人前の仕事ができるはずだぞ」

「季蔵さんにそう言ってもらえるのは、うれしいけど——」

三吉は不安そうに呟いて、

「いきなり、一人前の仕事と言われても——」

「一人前の仕事の要は、何を作るかが第一よ。三吉ちゃんの場合、煮炊きはもう、身に付いてるんだから——」

おき玖が励ました。

「何を作るって、烏賊競べで勝てるもんを選ばねえとなんねえんだろ？」

「そういうこと。でも、烏賊の酢味噌和《すみそあ》えは駄目よ。あれは三吉ちゃんの大得意なのは分かってるけど。あれ以外でよ」

すると、

「おいら、わかんねえ、どうしたらいいんだか――」

「三吉」

珍しく季蔵が一喝して、

「競い合う方が美味いものが出来ると言ったのは、おまえじゃないか。しっかりしろ」

「わ、わかったよ」

泣きそうになっていた三吉だったが、

「おいら、やってみる。何としても、勝ってみせる」

大きく瞠《みは》った目で武藤の方を睨んだ。

「それでは、烏賊料理の種類を決めましょう」

季蔵は切り出し、

「里芋や大根などとの煮付けは止《や》めておきたい。どこの家でも、あまりに日々、食べられ過ぎていて、変わり映《ば》えがせぬ」

武藤が言い切ると、

「煮付けなしって言われても――」

早くも三吉は狼狽《うろた》えたが、

「そうですね。今回、煮付けは無しで行きましょう」

「菜にもなる、煮付けじゃない烏賊ってことだと、これはもう肴《さかな》しかないわ」

おき玖の言葉に、

「烏賊ほど酒に合う代物は他にないだろう」

武藤はしみじみと言った。

「まずは、酒の肴になる烏賊料理で競うことにしましょう」

季蔵は三吉に紙を取って来させて、筆で大きく、烏賊肴と書いた。

三

烏賊肴競べは、七日後に行うと決めた翌日、

「大変、大変」

使いの者と戸口で話をしていたおき玖が、興奮気味で戻ってきた。

「あの比見丹九《びみたんきゅう》から塩梅屋《うち》に、花見重の注文が入ったのよ」

比見丹九は、今、市中で一番売れっ子の戯作者《げさくしゃ》で、伊勢参り、京見物等、旅の話が多いせいもあって、諸国の味にも通じている、奥の深い食通であった。

「どうする？　季蔵さん？」

「いつのことです？」

「明日だっていうの。ちょっと、時がなさすぎるわ――」

「せっかくのご注文です。やってみましょう」

「ええ、でも、だって――」

おき玖が言い淀《よど》むと、

「どうせ、また、戯作のネタにするつもりだよ。今度は江戸一膳飯屋競べなんちゃってさ」

三吉が口を挟んだ。

丹九の旅物はたいていが、料理屋に限らず、舟の上で魚を料理する漁師たち、長屋住まいのおかみさんたちまでもが、味を競べ合い、それが元で起きる喜怒哀楽から展開する、予想外の筋立てが、軽妙洒脱《しゃだつ》な文章で綴《つづ》られている。

「無理をせずに、断ってもいいんじゃない？」

おき玖は不安そうな面持《おもも》ちである。

季蔵は首を横に振る代わりに、

「比見丹九さんの注文でなければ、断りはしないはずですよ。どなたに頼まれてもお出しできる、塩梅屋ならではの味を詰めようと思います」

さらりと言ってのけて、

――さすがだけど、まるで、死んだおとっつぁんの台詞《せりふ》じゃないの――

おき玖は驚いた。

「山海の珍味を取り寄せて作る、豪華絢爛《けんらん》な弁当ではなく、素朴に春を煎《い》り酒で食べてもらうことにします」

季蔵は細魚《さより》を選んだ。

体長が一尺（約三〇・三センチ）ほどの細魚は、下顎《あご》が長く、針のように突き出ていて、透明で細身の姿が美しいだけではなく、さっぱりとした癖のない白身が美味である。

季蔵は細魚を中心にした花見重の下ごしらえに余念がなく、この日は塩梅屋に泊まり込んだ。

「おいらに手伝えることがあったら言ってください」

三吉が張り切ると、

「花見重に菓子は欠かせない。おまえの得意な煉《ね》り切りで、蝶《ちょう》や桜など、春の風情を拵えてみてくれないか」

「へい」

「楽しみだわ」

おき玖がにっこり笑った。

こうして出来上がった花見重は、一の重がわかめと細魚の刺身で、醤油代わりに梅風味の煎り酒が添えられ、二の重が細魚とセリの天麩羅で、天つゆは味醂《みりん》風味の煎り酒、三の重が刻んだ牛蒡と人参を、昆布風味の煎り酒で甘辛く煮付け、鮨飯《すしめし》に混ぜて、上に錦糸《きんし》卵とセリを載せた早春鮨であった。四の重は菓子の煉り切りで、求肥《ぎゅうひ》を山梔子《くちなし》で染めた黄色い蝶、紅を薄めた桜の花、抹茶による若竹という具合に、三吉の得意芸が披露されている。

「少しも気張ったところがないのに、ふんわりと春に包まれて、浮き浮きしてくるようなお弁当だわ」

おき玖は目を細めて褒めた。

「それでは行ってまいります」

季蔵は風呂敷で包んだ重箱を抱えて店を出た。日本橋木原店《きはらだな》から比見の仕舞屋《しもたや》がある米沢町二丁目までは、半刻（約一時間）とかからない。

途中、横山町の繁盛《はんじょう》している茶店の前を通り過ぎようとすると、中から、

「塩梅屋殿」

声が掛けられた。

季蔵と同じように重箱を抱えている。

「これは武藤さん」

「向かうは比見丹九のところか」

「ええ、もしや、あなたも？」

「飯屋を開いているわけでもないそれがしに、太郎兵衛《たろべえ》長屋の名物男であるゆえ、料理を届けよとは、いささか酔狂が過ぎるようにも思うし、おおかた、面白半分のからかいであ

ろう。しかし、当方、よろず商い屋であるゆえ、客に頼まれれば嫌とは言えぬ。まあ、こちらも、食い道楽の比見が嫌がりそうな菜ばかり重箱に詰めて、思いきり笑ってやるんだがな」

武藤はにやりとして、風呂敷の包みを解《と》くと、重箱を一段ずつ並べて見せた。

こちらの方は一の重が煮付けた切り干し大根、ひじき、豆腐、蒟蒻《こんにゃく》、山芋、牛蒡で、二の重は切り身にした鯔《ぼら》の浜焼き、三の重は蜆《しじみ》ご飯、四の重には黄粉《きなこ》のかかった草餅が詰まっている。

「これは、なつかしい」

季蔵が育った武家は常につましく、花見重といえども、日々の菜が多少増える程度であり、これと似たりよったりだった。

――おそらく、武藤さんのところもそうであったのだろう――

ふと、比見丹九もまた、自分たち同様、以前は侍であったと洩れ聞いたことを思い出した。

――比見丹九が噂《うわさ》を聞いて武藤さんに頼んだのは、なつかしさゆえだったのかもしれない――

「濃すぎず、薄すぎないよう、切り干し、ひじき、豆腐――と、それぞれの煮加減を変えているのですね。蜆ご飯を嫌いな江戸っ子は滅多にいませんし、鯔の浜焼きは酒の肴に打ってつけです。草餅から香ってくるヨモギと黄粉の香ばしさも絶妙。比見丹九は嫌がるどころか大喜びして、武藤さんの思惑は外れるかもしれません」

そこで季蔵は、自分の手にしている重箱に、武藤の目が注がれていることに気づいて、

「こちらもお見せいたしましょう」

重箱を広げた。

「凝りすぎず、よい趣味だ。何より、心に温かい春を感じさせてくれる」

武藤の目が微笑んだ。

「ありがとうございます」

二人は比見の家へと連れ立って急いだ。

よく手入れされている庭に続いている、木戸門の前に立って、

「花見重をお届けにあがりました」

「届けにまいった」

共に声を張ったが、玄関はしんと静まりかえっていて、誰も出てくる様子がない。

「仕方がありません」

「昼酒が過ぎて、寝入ってしまったのかもしれぬな」

季蔵と武藤は格子戸を開けて中へと入った。

玄関を開けたところで、

「これは——」

三和土《たたき》の上の履き物が乱れていた。

「それに――」

人の血の臭《にお》いが漂ってきている。

「お届けに上がりました」

念のため、もう一声、張り上げたが返事はなかった。

上がって、奥へと廊下を進んだ。血の臭いはますます、濃く強くなった。

武藤は袖で鼻を覆って無言でついてくる。

季蔵はべったりと、障子に血糊《ちのり》が付いている部屋の前で立ち止まり、振り返って武藤に目顔で合図すると、

「お届けに上がりました」

一気に障子を引き開けた。

――酷い――

脂ぎった赤ら顔の中年男が、肩先を斬《き》られ、心《しん》の臓《ぞう》に止《とど》めを刺されて死んでいた。畳一面、血溜まりであった。

――血の跡が続いている――

刃先から流れ落ちたと思われる血の滴《しずく》が、襖《ふすま》を開け放った隣室へと続いていた。

――下手人は刀を手にして、家の中を歩いたのだ――

季蔵は、血の跡を辿《たど》った。厨《くりや》へと続いている。

――もしや――

厨を開けると、島田を小さく結ったまだ若い女が、袈裟懸《けさが》けに斬りつけられて命絶えていた。ここにも大きな血の染みが広がっている。

手にしているのは瀬戸物の破片で、大徳利が割れて、土間に砕け散っていた。酒の匂《にお》いがする。

——酒を買いに行って戻って、すぐ、このような無残な目に遭ったのだろう——

「どうにも気分が——」

呟いた武藤は手にしていた重箱を抱えたまま、ずるずるとその場に崩折《くずお》れると、

「それがし、刃物は包丁と鋏《はさみ》以外、得手ではないのだ。よろず商いといえど、用心棒だけは引き受けられない」

骸《むくろ》を見まいとして両手で顔を覆った。

——いかん、このままでは、居合わせてしまった武藤さんに、また、あらぬ疑いがかかる——

「どうか、お立ちください」

支えてやって、何とか、武藤を立たせると、

「ここはわたしが何とかします。ですから、あなたは今すぐお帰りください」

季蔵は勝手口の戸を開けた。

四

武藤の後ろ姿を見届けた季蔵は、厨の中を見回した。

死んでいる女の首に、小指ほどの長さの菓子楊枝《ようじ》が刺さっていた。

——何で、こんなものが——

菓子楊枝を引き抜いて懐紙に包んで袂《たもと》に入れ、座敷に戻って、斬り殺されている男の周りに目を凝らした。

——ここにも——

畳の上に房《ふさ》楊枝が落ちていた。

季蔵はそれも拾った。

勝手口から出て、行きがけに武藤から声を掛けられた茶店に立ち寄ると、人を頼んで烏谷に文を届けた。


本日、注文の花見重を米沢町二丁目の戯作者比見丹九の家に届けに行ったところ、男女が斬り殺されておりました。

まずは、お報《しら》せまで。

季蔵

お奉行様

店に帰り着いた季蔵は、まっすぐに離れへと入ると、届けることの出来なかった花見重を仏壇に供えて、長次郎の位牌《いはい》に手を合わせた。

――またしても、骸に出遭ってしまいました。ただし、安心してください、この前のように、お嬢さんとは一緒ではありませんでしたから――

あの世の長次郎とて、娘に殺された骸を立て続けに見せたくはないはずだった。

暮れ六ツ（午後六時頃）の鐘が鳴り終わったところで、

「邪魔をする」

北町奉行烏谷椋十郎《りょうじゅうろう》が年齢《とし》を重ねるごとに丸さが増している、童顔とも海坊主ともつかない大きな顔を覗かせた。

「たまには、あの世の長次郎にも挨拶《あいさつ》をせねばなるまい」

烏谷はのっしのっしと巨体を揺らすと思いきや、意外に軽い足取りで離れへ向かった。

離れで季蔵と向かい合うと、灯《とも》した線香が燃え尽きるのを待って、

「比見丹九の家で死んでいた骸二体の検分は終わったぞ」

烏谷は告げた。

「比見丹九と下働きの娘ですか？」

「厨で殺されたのは、祝言《しゅうげん》を挙げたばかりの女房のさをりだ。まだ十七歳だった――」

「すると座敷で斬られていたのは主の丹九？」

「知らぬのか？　比見丹九はあのような中年男ではない。そちと変わらぬ年齢だ。座敷の男は版元の田鶴屋弥八《たづややはち》。売れぬ戯作は刷らぬと豪語していて、アクの強い奴だ」

「それでは比見丹九はどこに？」

「行方《ゆきがた》知らずだ」

「ということは――」

「いかにも、比見の生まれは武家ゆえ、刀は使えたはずだ。田鶴屋弥八は商いだけではなく、色の道にも通じていると聞く。大人しく色街に出入りしていればいいものを、飽きたらず、特に人妻には目がないそうだ。田鶴屋は比見の初々《ういうい》しい女房に手を出したのだ。それに比見は気がついた。十中八九、比見を下手人と見なしてよいだろう。今、比見は逃げているのだ。だが、いずれ、お縄にできる」

「田鶴屋弥八が人に恨みをかっていたというようなことは？」

「売れなくなった戯作者には、義理も人情もなく、けんもほろろだという話だ。あやつを恨んでいた輩《やから》なら星の数ほどいるはずだ。一人一人当たっていては、夏になってしまう」

烏谷は苦笑した。

「比見家に出入りしていた物売りや職人についてのお調べは？」

「物盗《ものと》りの仕業《しわざ》だと疑っているのか？」

季蔵は拾った菓子楊枝と房楊枝が気に掛かっている。

菓子楊枝はわざと死者の首に刺してあり、井戸端ならともかく、不似合いな場所である座敷に落ちていた房楊枝は、真新しかった。

――田鶴屋弥八が比見の家を訪れる途中、もとめたものなのかもしれないが――

楊枝屋の看板娘は誰もが見惚《みと》れる美女揃《ぞろ》いであった。

「無くなっているものは何もないと、通いの下働きの老婆が言うておる。念のため、その老婆に出入りの者たちについても聞いた」

「中に楊枝職人はいませんでしたか？」

「聞かなんだ。だが、洒落者の比見は楊枝好きだったという話だ。女房のさをりは、浅草のあさ屋という店で楊枝を売っていて、水茶屋の娘たちを凌《しの》ぐ、たいそうな人気を集めていた。女遊びをやり尽くした比見が、無垢《むく》な娘に熱を上げて通い詰め、三月前《みつきまえ》、夫婦《めおと》になったのだそうだ。比見の女房になってからは、日を決めて、さをりが楊枝を買いに行っていた。親しくしていた主や女友達にも会えるので、楽しみに通っていたはずだ、と老婆は話していた」

――これでは、とても、拾った楊枝の落とし主を特定できない――

「ところで、楊枝がどうしたというのだ？」

――迂闊《うかつ》に話せば、あさ屋が難儀するだけだ――

今のところは黙っていようと決めて、

「いいえ、わたしも、比見さんのおかみさんが楊枝屋で働いていたことを、聞いたような気がしたものですから」

さらりと惚《とぼ》けた。

「ふむ、そちも噂話が耳に入るようになったとは感心だ。巷《ちまた》の噂は馬鹿にできぬゆえ、うっかり聞き逃せぬものよな。ところで、そち、わしに何か、隠し立てしておろう」

烏谷はしゅーっと猫のように丸い目を細めた。

――まさか、拾った物のことまで、見通されているとは思えないが――

「はて、心当たりがございません」

季蔵は当惑顔を向けた。

そこで烏谷はぺろりと分厚い舌を出して見せて、

「これでも白《しら》を切るか」

「ますます、わからなくなりました」

「わしが烏賊好きであるのを知っているな」

「この江戸で烏賊嫌いの者は少ないはずです」

「ならば、なぜ、烏賊競べの話を、いの一番にわしの耳に入れぬのだ？」

烏谷は鼻白《はなじろ》んで迫った。

――何で、もう、烏賊競べの話がお奉行の耳に？　知っているのは、わたしと武藤さん、お嬢さんと三吉、武藤さんがふれ回るとはとても思えない。だとすると――

「里《さと》右《え》衛門《もん》長屋には見知った瓦版《かわらばん》屋が住んでいる」

里右衛門長屋は三吉親子の住まいであった。

――そうだったのか――

心の中であっと叫んだ季蔵は、

——三吉が誰かれなく、烏賊競べのことを長屋で話し、はしゃぎ回ったのは、初めて、何を作るか自分で決めて、腕を競い合う重責に耐えかねつつ、自慢したかったからだろう——

「申し遅れました。すみませんでした。当日は必ず、お招きいたします」

あわてて、頭を垂れた季蔵に、

「わしは食い意地の塊ゆえ、ちょっと拗《す》ねてみせたまでだ、深く気にすることはない。烏賊競べ、楽しみにしているぞ」

烏谷は、うって変わった笑顔を向けると、

「先ほどから、あの仏壇に供えてある重箱が気になっておる。長次郎はすでに食い終えたことであろうし——」

「これは気がつきませんでした。お許しのほどを。どうか、お召し上がりください」

季蔵は重箱を下げると、烏谷の前に広げた。

「丹精こめて作り上げ、届けたところが、骸を見る羽目になったとは、何とも気の毒なことだが、おかげで、わしは比見らに代わって、こうして、美味い春が食える」

勢いよく箸を使い始めた烏谷は、また、ここでわははと大笑いした。

翌日から季蔵は烏賊肴に取り組み始めた。

「あのね、季蔵さん」

おき玖に耳打ちされて、三吉の耳に届かない裏庭に呼び出されると、

「気がついてるでしょ、このところ、三吉ちゃん、烏賊肴は何の料理にしようかって、すっかり思い詰めてるのよ。あたし、相談されたけど、応えなかった。だって、何を選ぶかも腕のうちだもの――」

「どうでしょう？　一品と決めず、三品としては？　烏賊を使った肴は多く、そもそも一品に絞るのは無理があります」

「つまり、三本勝負、二本取った方が勝ちってわけね」

「お客さんたちには、勝ち抜いた選《え》りすぐりの烏賊肴を、味わっていただけるわけです」

「わかった、そうしましょ。三吉ちゃんにはあたしから言っとくから、季蔵さんは武藤さんに伝えといてね」

「わかりました」

季蔵がその旨《むね》を文に書いて知らせると、武藤からは以下の返事と、あの簡素な花見重が届いた。


過日はすっかり世話になった。身重な妻と二人、持ち帰った重箱を夢中で空にしたら、やっと、常の自分に立ち返った。誰もが、腰抜けと誹《そし》る体《てい》たらくである。ただし、烏賊競べでは負けぬつもりだ。三品の件、承知した。

礼の代わりに、おぬしがなつかしいと洩らしていた、当方の花見重を作って届ける

ゆえ、賞味していただきたい。

季蔵殿　　　　武藤多聞

これに箸をつけた季蔵は、武藤が夫婦して、忙しく菜を口に運ぶ、情味溢《あふ》れる姿を想い描きながら、ただただ、無事に子供が生まれてくるようにと、祈らずにはいられなかった。

五

「烏賊肴の三品だけど、何の決めごともなく、一品ずつ作って競べ合うんじゃ、勝ち負けをつけるのが難しいんじゃない？　烏賊肴も種類に分けて、種類ごとの競べ合いにしないと——」

おき玖が言い出して、

「それではこうしましょう」

季蔵は、以下のように紙に書いた。

一、肴に生の烏賊を用いる
一、肴に干した烏賊を用いる
一、前項と被らない限り、烏賊肴であって、美味であれば、どのような料理でもか

まわない

三吉にこれを伝え、武藤にはさらなる文を届けた。

「〝おかげでちょっと見えてきた〟なんて、三吉ちゃん、ナマ言ってたわよ」

おき玖はほっとした表情で洩らし、武藤からは〝諾〟という一語が戻ってきた。

烏賊競べが明日と迫った日の昼下がり、季蔵は良効堂へと足を向けた。

季蔵が生の烏賊を使った肴にと考えているのは、アサツキと烏賊の酢味噌和えである。

アサツキは葉の色が淡緑のネギで、山野に自生していることも多いが、今時分は良効堂のネギ畠《ばたけ》にも、細く華奢《きやしや》な葉を風にそよがせている。

「ものの本に、〝アサツキは気を下し、食を消し、また、能《よ》く食をすすめる〟とあります。ようは冬の間に溜まった悪いものを身体から追い出してくれて、食も精も増進させる働きがあるのです。とかく、体調が悪くなりがちな春先には有り難いものです」

良効堂の主は説明してくれた。


烏賊には血を補う働きがあるという。

味噌、味醂、砂糖を弱火にかけた鍋でよく練り、冷ました後、さらに練り辛子と酢を加えて調味した酢味噌で、この烏賊を和えると、滋養強壮の効能が期待できる。

季蔵がこの料理を思いついたのは、体調が今一つ思わしくない、瑠璃のことが頭をよぎったからだった。

良効堂を辞して後、季蔵は気になっていた楊枝屋あさ屋に向かった。

浅草観音の奥山には房楊枝等を売る楊枝屋が軒を並べている。

中でも、どの店よりも繁盛しているあさ屋は、着飾らせた美形の看板娘に、店先で楊枝作りをさせ、楊枝類や歯磨粉、お歯黒に使う五倍子《ふし》を売らせていた。

「訊《たず》ねたいことがあります」

季蔵が声を掛けられたのは、折よく、客が途切れていたからである。

「何でしょう?」

看板娘らしき十七、八歳の娘が、木槌《きづち》で木切れを叩く手を止めた。

「亡くなったさをりさんのことで――」

「もしや、お上のお手先の方?」

相手は声は低めたが、眉《まゆ》は寄せなかった。

「ほんの少し、待っててください。お使いに出てる、もう一人が帰ってきたら、しばらく代わってもらえますから」

「わかりました」

季蔵は近くの松の木の下で待った。

「あたし、ぬいって言います。さをりちゃんとは、二人一組でここで働いてたんです。もう、姉妹みたいに仲良しでした。ですから、あんな死に方をしたって聞くと、もう、可哀《かわい》想《そう》で、可哀想で――」

おぬいは借り着と思われる晴れ着の袖を汚すまいと、手の甲を両目に交互に強く押しつけて、溢れ出た涙を拭き取った。

「それでは、さをりさんと比見丹九さんの馴《な》れ初《そ》めはご存じですね」

「それはもう。さをりちゃん、小さい頃、大工をしていたおとっつぁんが屋根から落ちて死んで、おっかさんと二人暮らしだったのが、そのおっかさんも長患《ながわずら》いの末、去年、亡くなったんです。だから、さをりちゃん、比見さんがここに熱心に通ってくるようになると、毎日、とってもうれしそうでした。どーんと頼りになる相手が欲しかったんだと思います。比見さんのおかみさんになるって話してくれた時も、幸せがすぎて怖いほどだって言ってました。比見さんとはちょっと年齢が離れてたけど、あの人、人気の戯作者だけあって、粋《いき》で洒落者で身なりにも気を使ってて、若く見えたから、お似合いでしたよ」

「夫婦になってからも、日を決めて、ここへ房楊枝をもとめに来ていたと聞いています」

「さをりちゃん、一つ年上のあたしのことお姉さんって呼んでくれてて、〝あたしには帰る実家《さと》がないから、ここが代わりで、おぬい姉さんに愚痴を聞いてもらいにくるのよ〟って」

「夫婦の暮らしに何か、辛いことでも？」

「普段の比見さんはとっても優しくしてくれるけど、仕事で戯作を書いてる時や、版元さんが来て話をしてる時は、まるで別人のように険《けわ》しい顔で、大声で言い合うことがあるんだって言ってました。〝戯作は売れてなんぼなんだから仕方ない〟ってのが、比見さんの口癖だったみたい。でも、比見さん一途《いちず》のさをりちゃんは、厳しい仕事をしてる比見さんに、仕事を離れた時は目一杯、寛《くつろ》いでもらおうと、灘《なだ》のお酒を欠かさないようにしてました。食い道楽の比見さんはお酒にもうるさくて、これと決めたものでないと呑まなかったそうなの。〝酒〟と叫べば、いつでも、さっと、お気に入りのお酒が出てこないと不機嫌になるらしいの。〝おかげで、近所の酒屋さんとすっかり、仲良しになっちゃった、あたしのこと、うわばみだと思ってるかしら？〟って、さをりちゃん、笑ってましたっけ」

おぬいは人差し指を目の下にそっと這《は》わせた。

——さをりさんは、ご新造さんとして精一杯、頑張っていて、そして、毎日が幸せだったはずだ——

「さをりさんが、ご亭主以外の男の話をしたことはありませんでしたか？」

念のために訊くと、

「それ、他所《よそ》に好きな男《ひと》とかが、いたってこと？」

おぬいはやや憤《ふん》怒《ぬ》の表情になった。

「言い寄られていて困っていたかもしれません」

「まさか、一緒に殺された田鶴屋さんがその相手だと？」

季蔵は黙って頷いた。

「あり得ないわよ、そんなこと。たしかに田鶴屋さんはうちの大事なお客さんだけれど、通ってきて、まとめ買いするのは、ここの女将《おかみ》さんが店を見回りに来る時だけよ。〝あさ屋の女将は、浮いた噂一つない亭主持ちながら、そこが妙に色っぽい〟って、田鶴屋さん、言ってたもの。田鶴屋さんの好みは大年増で、〝おまえらは小便臭くてかなわん〟なんてことまで、あたしたち、言われてたのよ。だから、ないわよ、そんなこと決して」

「さをりさんが殺された日か、その前の日に田鶴屋さんは、ここへ来ていないのですね」

「もちろんよ。女将さん、お一日《ついたち》しか来ないもの」

季蔵は、懐から房楊枝と菓子楊枝を出して見せた。

「これに心当たりはありませんか？」

手に取ってまじまじと眺めたおぬいは、

「この房楊枝、いい香りの肝木《かんぼく》で出来てる。この肝木の房楊枝をここへ納めてたのは、元鳥越町から引っ越してった、房楊枝職人恵太《けいた》さんよ。それから、その菓子楊枝も恵太さんの手ね。こう見えても、明けても暮れても、楊枝ばかり見たり、作ったりしてるんで、そのくらいのことはわかるの」

――その房楊枝職人に訊けば、買った相手がわかって、下手人に行き着けるかもしれない――

「引っ越し先は？」

「わからないのよ。挨拶もなく、女将さん宛《あて》に、世話になったっていう文が届いただけなんですって」

――何としても、その房楊枝職人を探し出したい――

季蔵は歯嚙《はが》みする思いで、

「ありがとうございました」

礼を言って、あさ屋を後にした。

――お奉行の読みが当たっていないとすると、下手人は比見丹九ではなく、ほかにいることになる――

季蔵はふと思いついて、おぬいから聞いた、さをりが通っていたという酒屋へと足を延ばした。

八ツ刻（午後二時頃）の酒屋もまた、客の姿がなく、

「どうだい？　そろそろ春で、灘の新酒も仕舞いなんで、一杯、昼酒を引っかけて行っちゃあ？」

店主に勧められ、酒代を払って、湯呑み酒を手にした季蔵だったが、啜る真似《まね》だけすると、比見の家で起きた惨事について、話して欲しいと頼んだ。

ちなみに新酒とは上方《かみがた》から、初冬に船で運ばれてくる銘酒の総称である。

「ああ、いいよ。みんな訊きたがって来るんだから」

酒好きの店主は真っ赤な顔で、ぐいぐいと自分の湯呑みを傾けながら、

「あればっかしは、許せねえなあ。一緒に殺《や》られた野郎はともかく、あんな可愛《かわい》いご新造さんがあんな酷い目に――」

芝居がかって声を詰まらせた。

「わたしもです。一刻も早く、お上に下手人を捕らえてほしいです」

「知り合いかい？」

「まあ、多少――」

「だったら、あんたから、お上に伝えてほしいことがあるんだ」

店主はしたり顔で先を続けた。

六

「あんなことがあった三日前に、比見丹九の家はどこかと訊いてきた男がいたんだよ。見慣れねえ奴だった」

「どんな男でした？」

思わず季蔵は身を乗り出した。

「藍木綿《あいもめん》を粋にたくしあげているのはいいが、とにかく、目つきの鋭い奴だった。あれは遊び人の博打《ばくち》打ちだね、間違いない。懐に匕首《あいくち》を呑んでいるのが見えてぞっとしたよ。派手に振る舞っていた比見の旦那は、賭場《とば》に出入りしてて、借金がかさんでたんじゃねえかと、俺は睨んでる。早く借金を返せとすごんだにちがいねえ。ところが、比見の旦那は、勝手口からでも逃げたんだろう。それで、頭に来たそいつが、女房と客を手に掛けたって寸法だ。もちろん、見せしめさ」

店主は得々と話した。

「匕首で罪のない二人を刺し殺したというわけですね」

季蔵が念を押すと、

「さっき、匕首を見たと言ったじゃねえか」

相手はうるさそうに応えた。

——田鶴屋さんとさをりさんは、刀で斬られていた。これは違う——

「ありがとうございました」

「ためになったろ？　早く、お上に報せてくれ。人相書きを作る手伝いなら、いつでもするよ」

季蔵は失望を抱えて、その酒屋を後にした。

——房楊枝職人は行方知れず、酒屋の店主が見たという下手人は見当外れか——


そして、いよいよ、烏賊競べの日となった。

烏谷が訪れると聞いたおき玖は、

「あら、まあ、それは大変」

早速、店の座敷に烏谷の席を作った。

「いくら、お奉行様でも神様よりは低いところでないと——」

烏谷が座る座布団からは、毎日、御神酒《おみき》を供える神棚が見上げられる。

「それから、ここだけとはいえ、お奉行様までおいでの料理競べなんだから――」

烏賊肴競べの次第が書かれた、何枚かの紙が綴られて、日めくりのように設《しつら》えられた。めくって示すのはおき玖の役目である。

油障子が開いて、ぬっと大きな顔を見せた烏谷は、

「今日ほど楽しみな日はない。指折り数えたぞ」

わはははと高笑いを響かせた。

すでに厨の三箇所に俎板《まないた》が置かれて、襷《たすき》を掛けた季蔵、三吉、武藤の三人が持ち場に張りついている。

「それでは、皆さん、頑張ってください」

おき玖が綴じた紙を一枚めくった。

〝その一　生烏賊肴の部〟とある。

「肴の前に酒か、肴が来てから酒か」

ぶつぶつ呟いていた烏谷だったが、

「酒が肴を呼び、肴が酒を呼ぶのだ」

一人、合点して、おき玖にぬるめの燗《かん》を命じて、ちびちびと盃を口に運びながら、

「酒の始めは生の肴に限る」

座敷と厨とを忙《せわ》しなく行き来して、三人の作る生烏賊肴に興味津々であった。

アサツキを刻む季蔵には、

「春菜はそちの得意よな」

と言い、

「なかなかの包丁さばきではないか」

三吉を褒めた。

言葉を掛けられなかった武藤は、なぜか、包丁も握らずに立ち尽くしていた。

丹念に皿に盛りつけていた三吉が、季蔵に遅れて包丁を置くと、おき玖がさっと一枚、紙をめくった。

それには以下のようにあった。

アサツキと烏賊の酢味噌和え　季蔵
生烏賊三種　　三吉
烏賊の塩辛　　武藤

三吉の生烏賊肴三種は、皮を剝《む》いて薄く削《そ》いだ烏賊に海苔《のり》をのせて巻いた一品目、叩いた納豆を載せた二品目、紫蘇《しそ》の実の煎り酒漬けを、細切りの烏賊と混ぜた三品目と、なかなかの趣向が凝らされている。

座敷でこれらの生烏賊肴を堪能《たんのう》した烏谷は、

「烏賊の塩辛の勝ち」

ここは武藤に軍配を上げた。

「でも、それ――」

三吉が抗議の声を上げた。

「何だ？　申してみよ」

烏谷は三吉を見据えた。

「料理競べはここでやるもんだと思ってました。前もって、作ってあったものを出すんじゃや、話がちがうんじゃないかと思うんだけど」

「作り置いたものを出すなという、決まりでもあったのか？」

烏谷は季蔵の方を見た。

「ございません。ただ、生烏賊を使うようにとのことだけでした」

「ならば、話は違っておらぬではないか」

「へえ」

三吉が渋々頷くと、

「生烏賊三種もたいそう、美味かった。ただし、紫蘇の実の煎り酒漬けを生烏賊に混ぜたのは、いかがなものかと思う。何も、紫蘇の実が美味くないと申しているのではない。紫蘇の実は初秋のもので、今は春だ。春には青い香りがうれしいものだ。その点、アサツキと烏賊の酢味噌和えは清々《すがすが》しい。身体だけではなく、心まで晴れやかに洗われるような気がした」

そこで烏谷は心地よさげに盃を傾けつつ、箸で摘んだ塩辛を口に運ぶと、

「たかが塩辛、されど塩辛じゃ。捨てることも多い、烏賊のわた(臓物)で作るゆえ、安上がりで、万人が味わうことのできるのが、烏賊の塩辛だ。だが、それゆえ、味は千差万別、絶品と見なせるものはそう多くないはず。なにゆえ、そちのこの塩辛がこのように美味いのか、その秘訣《ひけつ》を話してはくれないか?」

武藤を促した。

「秘訣などとおっしゃられても、そのようなものはございません」

「ならば、作り方を申せ」

「烏賊の塩辛は夏に作ります。これは長月《ながつき》に漬け込んだものです。まずは、棒手振《ぼてふ》りから、安く買い叩いた二十ぱい以上の烏賊の下拵えをいたします。烏賊を開いてわたを取り、一枚一枚、丹念に塩をまぶしながら重ねていき、きっちりと重石《おもし》をかけ、できるだけ涼しいところに置くのです」

——烏賊の身に、ここまでの下拵えをするとは知らなかった——

季蔵の育った家だけではなく、先代長次郎直伝《じきでん》の烏賊の塩辛は、新鮮な烏賊をわたと身に分けた後、足や頭、胴体を細切りにして、塩とわたを合わせ、根気よく、かき混ぜながら仕上げている。

「肝心なのは、羽州(現在の秋田県の一部と山形県)で〝うろ〟と呼ばれている、わたの漬け込みです。別に集めて塩を加え、じょのめ樽《だる》と呼ばれている、横に口がついた樽に漬け

ます。長屋住まいのわが家に、これといった宝など、あるはずもありませんが、強《し》いて言うなら、場塞《ふさ》ぎのこの樽が唯一の家宝と申せましょう。これが塩辛の漬け汁のもとになります。うろ作りは、うろわかしとも言います。うろの出来次第で、塩辛の味と香りが違うのです。作るのは、夏の暑い時季なので、塩を増やし、涼しい置き場所を工夫しなければなりません」

――わたが文字通り、烏賊の塩辛の肝だとは察していたが――

「わかせたうろは、樽の底に沈むものと、上澄《うわず》みの醬油のような色のものに分かれます。漬け汁にはこの上澄みだけを使うので、底に沈んでいる澱《おり》が混じらないように、じょのめの口から取り出さねばなりません」

「そこまでにどれだけの日数かかる？」

烏谷の問いに、

「半年ばかり」

武藤は平然と応えて、

「半年ほどかけて漬けた烏賊の塩漬けは、何回も何回も水を替えて塩抜きをします。この間、ほどよい塩加減の二番目の塩出し水を煮立てて取っておき、じょのめ樽から取り出したうろの上澄みに、塩梅《あんばい》を見ながら混ぜて、本漬け用の漬け汁に仕上げます。塩抜きした烏賊は細かく刻み、よくしぼってこの漬け汁に入れ、浮き上がらないように軽い重石をかけて、保存しておくのです」

――わたしたちが常に作っている、烏賊の塩辛と、見た目はそう変わって見えないというのに、これほどの手間をかけていたとは――

「そちたちも、入念に作られた烏賊の塩辛を試してみよ」

烏谷に勧められて、季蔵、おき玖、三吉の三人は、武藤の塩辛の味を試した。

「これは――」

季蔵の口から、珍しくため息が洩れた。

烏賊と塩だけで作られているとは、到底、思えないほど味が深かったのだ。

「烏賊の塩辛はわたたと身を合わせた後、よく混ぜるのだけが秘訣だと思い込んでいた、我が身が恥ずかしい限りです」

「炊いたご飯に例えるなら、美人の立ち姿に似て、米粒がしゃんと立ち上がってるような烏賊の塩辛だわ」

「おいら、おっかあの作る烏賊の塩辛は生臭くて、あんまり好きじゃなかったんだけど、これには、臭みなんて全然ない。ないどころか、上等の酒でも入ってんじゃねえかって――。酒の肴なんぞにしなくても、これだけで、酔っちまうほど美味いよ」

これ以上はないと思われる、三人の感嘆ぶりであった。

七

「さあ、次に行きますよ」

おき玖が綴りをめくると、〝その二　干し烏賊肴の部〟が出てきた。

七輪に火をおこして焼き網をかけたのは季蔵一人で、三吉と武藤は持ち場に立っている。

「その二人はすでに仕上げてあるようだ」

烏谷の言葉に、

「なにぶん、干し烏賊といえば、焼いて酒のあてにする、するめと相場が決まってますから、柔らかくしねえと料理にはなりません。そうですよねえ？」

三吉は武藤に同意をもとめたが、

「日頃、長屋で慣れ親しんでいる干し烏賊料理を味わっていただくまでのことです」

干し烏賊を陽に当てて、かちかちに乾かした、するめ烏賊だとは言い切らなかった。

烏賊が焼ける香ばしい匂いが立ち上り、季蔵が二枚のするめ烏賊を長皿に盛りつけたところで、

「はいっ」

おき玖がまた、勢いよく綴りをめくった。

するめ烏賊のこうじ漬二種　季蔵
するめの梅干し漬け　三吉
するめと人参の醤油漬け　武藤

三人三様の干し烏賊肴を賞味した烏谷は、

「まずはそちに訊こう」

季蔵に向かって、

「二種あるこうじ漬のうち、一つは歯応えが生烏賊のように思うが、わしの思い違いだろうか？」

「その通りでございます」

「でも、それって——」

三吉は約束違いではないかと言いかけて、言葉を呑み込んだ。

「なにゆえ、生烏賊を使った肴を、干し烏賊肴に混ぜたのか、言うてみよ」

「それでは、まず、干して固いするめ烏賊のこうじ漬について、お話しさせていただきます。するめのこうじ漬については、先代から、秋から冬にかけて作り置くと、独り暮らしの菜に役立つと勧められて、毎年、仕込んできました」

そこで季蔵は、するめ烏賊のこうじ漬の作り方を説明した。

よく乾いたするめ烏賊十ぱいの胴を短冊に、足の部分は一寸（約三・〇三センチ）ほどの長さに切る。

きれいに洗った壺《つぼ》に、切ったするめと米こうじ三合、酒一合、醤油二合を入れて、しっかりと混ぜる。

毎日、一回、必ず、底から上にかけてよく混ぜて、味を馴染ませる。二十日から三十日で食べられる。

「先代は数ある干し烏賊のうち、するめ烏賊が最もこうじ漬に向いていると教えてくれました。ならば、乾いたするめでなくとも、生のするめ烏賊を漬けたとしても、美味なのではないかと思いついたのです。生ならば、何より、歯応えが柔らかく、歯の弱くなったお年寄りでも、楽しむことができます。乾いたするめはこうじ漬にすると、たしかに、そこそこ、柔らかくはなりますが、生を使ったものには及びません」

　武藤が太郎兵衛長屋で料理を振る舞っていると耳にした時から、何か、自分も出来ることはないかと季蔵は考え続けていた。

「生の烏賊ともなると、仕込みも工夫がいるのでは？」

　武藤が真顔で訊いてきた。

「ええ。わたを取った後、洗い清め、充分に塩加減しないと、おそらく、腐ることでしょう。三日ほど塩漬けして、ざるに上げて、水分をよく切ってから、こうじと合わせます。もちろん、これも一日一回は混ぜることが要です。十日ほどで食べられます。これでわかったのですが、こうじに塩だけという取り合わせも、素朴でなかなかの味わいです。ただし、この場合、塩には凝って、赤穂《あこう》の上物を使っています」

「なるほど」

　大きく頷いた烏谷は、二種のこうじ漬をもう一度味わって、

「生のするめ烏賊のこうじ漬は海の味、してみれば、するめのこうじ漬はただの酒飲みの

味か――」

などと呟くと、

「そちたちも味わうがよい」

おき玖や三吉、武藤にも勧めた。

「あたしは断然、生の方がいいな。ご飯が進みそう」

「おいらも今はそうだけど、大人になって酒があったら、するめのこうじ漬かな」

「それがしは申すまでもなく、酒の友を選ぶ」

「わしは欲張って、生のするめ烏賊でも酒を飲むぞ」

烏谷はぐいぐいと盃を呷《あお》って、

「干し烏賊肴競べ、塩梅屋の勝ちぃ」

大声をあげた。

この後、烏谷は、するめ烏賊の梅干し漬けや、するめと人参の醤油漬けでも、酒を飲み続けて、

「これは、たやすく作れそうなので、作り方を聞いておきたい」

まずは武藤に酔眼を向けた。

「細切りにしたするめ烏賊と人参を瓶《かめ》に入れ、醤油と酒を合わせた汁で浸すだけの肴でございます。二、三日で漬かり、長くおくと味に深みが出るので重宝です」

「人参とするめ烏賊が醸し出す、甘みとも旨味ともつかぬ味わいがたまらぬ」

「ありがとうございます」

「次へ行こう」

烏谷は三吉を見据えた。

「なにゆえ、この肴を思いついたのか？」

「酒飲みはたいてい、焼いたするめが好きだし、梅干しだって、嫌いな人、いないはずです。それで、この二つを合わせたら、きっと、誰でも飛びつきたくなるような肴ができると思ったんです」

「おき玖、どうだ？」

烏谷はおき玖に試食を勧めた。

「聞いただけで美味《おい》しそうだと思いまして、その通りなんですけど――」

おき玖は首をかしげて、

「三吉ちゃん、作り方、言ってみて」

「梅干しの種を取って、実だけをすり鉢で当たって、だし汁と醤油を入れて、そこに焼いて裂いたするめを入れる。それだけだよ」

「あたし、これには醤油は入ってないと思うわよ。代わりにお酒のこくがある」

「それでは――」

季蔵は苦笑した。

「ああして、綴りに書かれている、おまえの料理の名を、今から書き換えるのなら、許してやってもいいぞ」

烏谷は、三吉に据えたままの大きな目をさらに瞠った。

「へい」

うなだれた三吉は、筆をおき玖から借りると、するめの梅干し漬けに線を引き、するめの梅風味煎り酒漬けと書き換えると、

「ここの梅風味の煎り酒をこっそり使いました。すいません」

季蔵とおき玖それぞれに頭を垂れた。

「するめの梅風味煎り酒漬けは、たしかに美味《うま》いが、梅風味の煎り酒は塩梅屋の秘伝で、これはおまえが考えついたものでも、受け継いで作ったものでもない」

烏谷は三吉に厳しく言い聞かせ、

「わかればそれでよいのだ」

季蔵は優しいまなざしを向けた。

「さあ、いよいよ、最後」

おき玖の綴りは二枚になった。

〝その三　烏賊肴三昧の部〟とあり、

「何が出てくるのか、気になってならぬと、かえって酒が不味《まず》くなる。最後なら、ここはもう、料理の名を明かしてもよかろう」

酔いが深まってだだをこねる烏谷に、

「それでは、お奉行様のお言いつけ通りにいたしましょう」

肴の出来上がらないうちに綴りは一枚になった。

烏賊の天麩羅　季蔵
いかとんび　　三吉
烏賊のきんぴら　武藤

三人はほとんど同時に仕上げた。

烏谷はこれらの試食を終えると、すぐには勝ち負けを口にせず、

「最後とあらば、年齢のいった順に、想いを込めて料理の説明をせよ」

季蔵の方は見ずに武藤を促した。

武藤は戸惑った様子だったが、季蔵に向けたその目で頷き、自分の方が年嵩《としかさ》であろうと確信していた。

――どうぞ、ご遠慮なく――

季蔵も目で頷くと、

「これもどうということのない日々の菜にして肴でございます。するめ烏賊の足だけで作る、たいそう節約な肴です。まずは、するめ烏賊の足をぶつ切りにして茹《ゆ》でて、水を切っておきます。人参、牛蒡は千切りにして、油で炒《いた》め、これに烏賊の足を加えて、炒め続け、

味付けは醤油、塩、それに、細かく切った唐辛子です。自分で褒めるのは気が引けますが、何とも、手軽で美味い肴です」

「唐辛子使いにいたく感心した」

「お褒めいただき、ありがたき幸せにございます」

「さて、そちの天麩羅だが――」

烏谷の目は季蔵に移った。

「味にこくがあって、ただの烏賊天ではなかった」

「開いたするめ烏賊を、一日ほど生干しにしてから、衣《ころも》をつけて揚げております。こうすると、身から水が減って、油がはじけないだけではなく、味も生とは異なる風味が出るのです」

「よし、今後、烏賊天をわしが所望したら、これにしてくれ」

「わかりました」

「おまえが最後になったな」

烏谷は三吉が唐揚げにした黒く固いものを箸で摘んだ。

「いかとんびっていうのは、烏賊の口のことだって知ってるでしょう? おいら、納豆売りをしてた頃、こうやって唐揚げにしたのを、煮売り屋のおばさんから貰《もら》ったんだ。そのおばさん、おいらの年齢を聞くと、〝そんな子供のうちから、こんなことしてるってことは、よほどのことだよね〟って同情してくれた。ちょうどあの頃、おいらんとこは、おっとうが借金を苦にして、ばらばらにここから逃げようか、おっかあに、岡場所務めをしてもらおうかっていう時だった」

目を潤ませた三吉はそこで一度言葉を切って、洟《はな》を啜ってから先を続けた。

「うちの話をすると、おばさんは、おいらの指に、〝これは大きいからお父さん指に、次のはお母さんで人差し指に、これはあんたで中指に――〟って、唐揚げのいかとんびを嵌《は》めてくれて、〝お守りだよ、しばらく、こうしてて、後でお上がり。そうすれば、決して、家族が離れるなんてことがないからね〟って。おいら、いかとんびは、とっても美味いってわかってるけど、あれから食べてないんです。二度も食べたら、御利益《ごりやく》がなくなるような気がして――、おっとう、おっかあと暮らせる今が、とっても、幸せだから」

とうとう三吉は目から涙を溢れさせた。

――そうか、三吉のいかとんびには、曰《いわ》く言い難《がた》い想いが込められていたのか――

季蔵はしみじみとそう思い、

――何だか、あたし――

見合わせたおき玖の目も潤んでいた。

一方、烏谷は、

「おまえの話にも増して、このいかとんびのこりこりした歯ごたえはたまらぬ。烏賊肴三味の勝ちは、いかとんびとする」

ひときわ大声を上げた。

第三話　春菓子箱

一

「今日は絶品の烏賊《いか》肴《さかな》で楽しい酒が飲めたぞ」

やはり、また、わははと大きな笑い声を上げて、烏谷《からすだに》は帰って行った。

こうして、烏賊肴三本勝負は、北町奉行烏谷 椋十郎《りょうじゅうろう》の裁定により、三人がそれぞれ勝ちを分けた。

そして当分、塩梅屋《あんばいや》の品書きには、武藤《むとう》の塩辛と季蔵《としぞう》の烏賊のこうじ漬、三吉《さんきち》のいかとんびが加えられることになった。

「勝ちを認めていただいた烏賊のこうじ漬は、太郎兵衛《たろべえ》長屋にお裾《すそ》分《わ》けすることにしました」

季蔵の考えに、

「柔らかい烏賊のこうじ漬は熟柿《ずくし》と違って、日持ちがするから、きっと喜ばれるわ」

おき玖《く》は、どっさりと生烏賊を買い込むと言いだし、

「それなら、おいらは、こうじ漬には要らない烏賊の口で、いかとんびを揚げるよ」

三吉は張り切ったものの、

「あ、でも、いかとんびじゃ、年寄りには固すぎるかな」

「いやいや」

武藤は首を横に振って、

「年寄りの中には、たしかに歯の弱い者が多いが、煎餅《せんべい》を嚙《かじ》れるほど達者な者、酒が何よりの楽しみな者もいる。わが家の瓶《かめ》で眠っている塩辛と、こうじ漬、いかとんびと合わせて届ければ、口に春が来たとばかりに、皆、盆と正月以上に大喜びするだろう」

思い切り、童顔をほころばせた。

「ところで、肝心の烏賊焼きをまだ、ご披露いただいておりません」

季蔵は武藤の方を向いた。

「まさか、また、勝負ってわけじゃあ?」

三吉が不安そうに呟《つぶや》いて、

「あら、まだ、続きがあるのね。今度は烏賊焼き勝負?」

おき玖はへえという顔になった。

「おいら、お奉行様の前じゃ、身がすくんじまうんで、もう、いい加減、勘弁してもらいてえんだけど――」

「よろず商いのそれがしは雇われる身、この烏賊肴三本勝負でも仕事料を受け取っている。

烏賊焼きでの勝負が仕事なら、引き受けるのはやぶさかではない」

　武藤は淡々と言った。

「三吉は屋台で烏賊焼きを習ったことがあるか？」

　季蔵から投げられた問いに、

「食ったことしかないよ」

「実はわたしも一度だけ、味を見たことがあるだけです。これでは、烏賊焼きで仕事料をもらっていたあなたには、とても敵《かな》いません」

「たしかに最初《はな》っから勝負にはならないわね」

　おき玖がふふっと笑って、

「どうです？　烏賊焼きに限り、武藤さんの采配にわたしたちが従うというのは？」

　季蔵は武藤に乞《こ》うた。

「それがしに烏賊焼きの親方になれというのだな」

　季蔵、おき玖、三吉の三人は大きく頷《うなず》いた。

「仕事とあれば、引き受けぬでもないが、一つ条件がある。ここには、若葉の茂る庭があるか？」

「裏庭のヨモギが芽を吹いてきています。もうじき、茂り始めるでしょう」

「屋台では、春夏秋冬と絶えず烏賊を焼いているが、それがしは、春の烏賊焼きが一番美味だと思っている。なぜなら、烏賊の香ばしいがやや粗野《そや》な匂《にお》いを、萌《も》え出《い》でる若葉の香りが上品に包み隠してくれるからだ。香りの強いヨモギとなれば、申し分ない」

「つまり、裏庭に縁台を出して、そこに座っていただいたお客さんたちに、焼きたての烏賊焼きをお出しするっていうのね。春は花見ばっかりじゃないっていうのも粋《いき》だし、野趣豊かな烏賊焼き、すてきだわ」

おき玖は興奮気味に話した。

「どうか、よろしくお願いいたします」

季蔵が頭《こうべ》を垂れると、あわてて、三吉も倣《なら》った。

「烏賊焼きの会は半月後ぐらいかしらね？　いくら春が遅くても、ヨモギは強いから芽を出したら、ぐんぐん伸びてくるものでしょ。一月《ひとつき》も過ぎて、ヨモギのトウが立っちゃ、興ざめでしょ？」

おき玖は段取りを決めたがった。

「それに、まずは作ってみせてくれねえと――」

三吉は試食を仄《ほの》めかした。

武藤は応《こた》えずに、思案している様子で両腕を組んだ。

「お忙しいのではありませんか？」

季蔵は労《いたわ》るような物言いで聞いた。

「お察し頂き、かたじけない。有り難いことに忙しくしている。それと、今、どうしても、離れられぬ大事な仕事があって――」

武藤は目を伏せた。

「それでは、どうか、お手すきの時に烏賊焼きを賞味させてください」

季蔵が言うと、

「誠にすまぬ」

うつむいたまま、武藤は店を出て行った。

岡っ引きの松次《まつじ》が塩梅屋《あんばいや》に立ち寄ったのは、この翌々日の昼前のことであった。

「今日もまた、お一人ですか？」

おき玖は早速、好物の甘酒の入った湯呑《ゆの》みを渡した。

「こんな馬鹿みてえな話、いちいち、田端《たばた》の旦那にお報《しら》せできねえよ。そうでなくても、定町廻《じょうまちまわ》りの旦那は忙しいんだから」

松次は苦虫を嚙《か》み潰《つぶ》したような顔つきである。

「お腹《なか》がお空《す》きでしたら――」

季蔵がさりげなく持ちかけると、

「何があるんだい？」

松次はぱっと目を見開いた。

「実は――」

季蔵が烏賊肴三本勝負の話をかいつまんで話すと、

「飯はあるのかい？」

松次は舌舐《な》めずりをした。

「炊きたてがありますよ」

おき玖がにっこりすると、

「俺が下戸《げこ》だって知ってるだろ」

松次は季蔵を見据えた。

「わかっております。まずはこれを」

季蔵が武藤の塩辛を小鉢に盛りつけて出すと、すかさず、おき玖がほかほかと湯気の上がっている飯茶碗を差し出した。

後は季蔵が烏賊のこうじ漬を焼き、三吉が冷めたいかとんびを揚げ直した。

美味《うま》いという言葉も吐かずに、松次は黙々と三膳飯を食べ終えると、手をつけずにいたいかとんびを嚙みながら、満足そうに茶を啜《すす》った。

「そろそろ、お話しいただけませんか？」

季蔵が水を向けると、

「話してやってもいいが、本当に馬鹿な話なんだぜ。第一、番屋へ俺を呼びに来させた絵《え》草紙《ぞうし》屋のばばあが気に入らねえ」

「どこの絵草紙屋さんです？」

「米沢町二丁目さ。松見屋《まつみや》って名だ」

「ならば、あの比見《びみ》丹九《たんきゅう》の家のごく近くではありませんか？」

「はす向かいだが、松見屋の方は空き巣狙《ねら》いだよ。一人暮らしの婆さんが成田山新勝寺《しんしょうじ》近くの娘のところへ、孫の顔を見に行ってた間、閉めてた店に空き巣が入ったんだ。今時、空き巣ぐれえで、大騒ぎしてもらいたくねえもんだよ」

空き巣狙いは押し込みなどと違い、盗まれた方にも落ち度があるとされ、探索に力が入らないことが多く、捕らえても敲《たた》き放しで済まされた。

「空き巣というからには、盗まれた物があったのでしょう？」

「羊羹《ようかん》二棹《さお》だけさ。そもそも、店の中はもぬけの殻《から》だった。こそ泥連中は盗みたくても、盗むものがなかったんだよ。商売熱心な松見屋の女将《おかみ》は、役者絵、江戸名所案内、千代田のお城の表裏の絵、人気の組み立て絵の雛段《ひなだん》なんかを、行李《こうり》に入れて、向こうへ持って行ってたそうだ。田舎《いなか》じゃ、こういう花のお江戸の香りが飛ぶように売れる。孫の顔が見られて、結構な商いができりゃあ、もう、言うことなしじゃないか。ところが、昔はさぞかし、別嬪《べっぴん》だったろう女将ときたら、俺を怖い目でじぃーっと睨《にら》んで、調べを続けて、空き巣をお縄にしなければ、吉原にいた頃、御書院御番頭《ごばんがしら》の水野志摩守《しまのかみ》様が馴染《なじ》み客だったことを、奉行所に言いに行くってえんだから、敵わねえよ、ったく」

やけくそになった松次が空の湯呑みをがんと音を立てて飯台《はんだい》に置いたので、おき玖は素早く、甘酒入りの湯呑みと取り替えた。

「松見屋の女将さんには、どうしても空き巣狙いをお縄にして欲しい理由《わけ》があるのではないのですか？」

羊羹二棹に執着しているからだとは、到底思えなかった。

「通いの下働きにがみがみ言ってるだけあって、たいそう、几帳面《きちようめん》な性分の女だ。気にってならないのは、座敷の火鉢に掛かってた薬罐《やかん》の中身さ。家を出て行く時には空にしてあったのが、帰って蓋《ふた》を開けてみると、なみなみと入ってる。その上、臭い。こそ泥は薬罐の中に小便を漏らして行ったのさ。女将はそれをたいそう気味悪がってる」

二

そこで松次はため息をつくと、

「女将ときたら、〝手掛かりはこれしかないんだから、何とかしてください。早く空き巣を捕まえてくれないと、夜もおちおち眠れない〟って、俺に小便入りの薬罐を預けてくるんだよ。その場で蓋を取ってみると、ぷーんと妙に甘い匂《にお》いがした。俺はたしかに甘いものには目のねえ方だが——」

ぐいと甘酒を呷《あお》っておいて、

「何ともいただけない臭《にお》いだった。小便なんぞが、手掛かりになるはずはねえと、溝《どぶ》に捨てちまおうと思って、松見屋の表に出たんだが、その時牢医の夏井玄順《なついげんじゆん》先生が〝医術では、たかが小便、されど小便じゃ。小便で病が見つかり、施療ができることもある〟と言っていたのを思い出したんだ。すぐに、小便入りの薬罐を抱えて、夏井先生のところまで走った。先生は小便を嗅《か》いだとたん、〝これは消渇《しようかち》（糖尿病）だ、間違いない〟と言ったよ。

消渇に罹《かか》ると、始終喉《のど》が渇いて水を飲むものだから、小便が近くなり、甘いものが欲しくなるそうで、だから、空き巣は羊羹をかっさらって行ったんだ」

疲れた表情で宙に目を据え、

「けど、消渇持ちの奴なんぞ、この市中に何人いるかしれねえからなあ。空き巣一匹、捕まえられずにいるとは情けねえ限りだ」

ぶつぶつと呟いた。

「その空き巣は、近くの比見丹九の家で惨事が起きて以後、女将が留守の松見屋に忍び込んだのですね」

季蔵が念を押すと、

「そうだよ」

ぶすりと応えた松次は、

「比見丹九の家で田鶴屋《たづや》さんとさをりさんを手に掛けた下手人が、消渇持ちの空き巣だったということはないかしら？」

おき玖に訊《き》かれて、

「そりゃあ、考えねえでもなかったさ。けど、道楽者の比見丹九の家には、床《とこ》の間《ま》の掛け軸は松下烏石翁《まつしたうせきおう》の名筆で、納戸にも、香炉やら、茶碗やらの、あっとびっくりのお宝があった。盗人《ぬすっと》がそいつを見逃すとは思えねえ」

きっぱりと言い切った。しかし、

「もしや、お上の調べを、惑わそうとしているのでは？」

首をかしげた季蔵の言葉に、

「そうだな、そういうこともあったか」

松次はこれ以上はないと思われる、苦渋に満ちた顔で立ち上がり、

「何もかも、闇《やみ》に呑まれちまってる」

うすら寒げに背中を向けた。

そんな松次と使いから戻ってきた三吉が戸口で行き合った。

「あれ、松次親分、ずいぶん、むずかしい顔してたけど――」

相手を案じつつも、ついつい顔がほころび、きらきらと目が輝き、笑みがこぼれている。

「お上のお役目は大変なものなのよ」

おき玖が応えると、

「そうなんだろうね」

三吉はこみあげてくる、自分の喜びを隠すためにうつむいた。

「何か、いいことあったみたいね」

おき玖が話したくて仕様がない三吉に水を向けた。

「いいことってわけじゃねえんだけど――」

三吉はしばし言い淀《よど》んで、

「おいら、お小夜《さよ》ちゃんに相談事を持ちかけられたんだよ」

「おやおや、それはご馳走《ちそう》様」

おき玖がからかうと、

「そんなんじゃないよ、そんなんじゃ」

三吉が顔を真っ赤にして、

「おいら、頑張ってる長屋はぎのためになってやりたいだけなんだから。それには、おいら一人じゃ頼りない、季蔵さんやお嬢さんにも力を貸してもらわないと。お願いします、この通り、どうか――」

土間に座って頭を垂れた。

「また、よほど困ったことになってるのかしら？」

おき玖は思わず眉《まゆ》を寄せた。

そもそも長屋はぎは、松島町の鈴虫長屋の老婆おひさが早くに亡くなった娘を偲《しの》んで、秋の彼岸《ひがん》の頃に作っていた餅菓子である。

たまたま、近所や知人に配ったところ、好評で、金を出しても食べたいという人が続出、いつしか、花売りだった孫娘のお小夜が、彼岸の三日に限って天秤《てんびん》棒を担いで売り歩くこととなり、市中の風物詩に数えられるようになった。

そうなると、さらに人々は競うように、この長屋はぎをもとめたがり、縁あって知り合った甘党の大店《おおだな》の主《あるじ》が後ろ盾になって、長屋はぎという屋号の店を構えるようになったものの、彼岸の頃、爆発的に売れるおはぎだけでは、売り上げを維持することは難しかった。

四季折々、人気のある菓子の種類を増やすのが、直面している最大の課題であった。

「どんな相談事なんだ？」

　ここではじめて季蔵が口を開いた。

「雛祭がもうじきだよね。長屋はぎの後ろ盾になってる天松堂《てんしょうどう》の旦那は、どこにも負けないっていう勢いで、箱詰めの雛菓子を作ってみるようにって」

「でも、箱詰めの雛菓子は高いわよ」

　おき玖はすぐに売れるかどうかを案じた。

　長屋はぎは、酒饅頭《さかまんじゅう》や金鍔《きんつば》と同じように安くて美味《おい》しいのがウリである。

「天松堂の旦那は、今回、売ることは考えなくていいって言ってるんだって。自分のところと親戚、知り合いに配る十ほどの数の箱詰め雛菓子だけ作ればいいって。けど、質が肝心で、大奥にお出入りを許されてる雲雀屋鹿兵衛《ひばりやろくべえ》に競《くら》べても、決して、見劣りしちゃいけないっていうのさ」

「それって、もの凄《すご》く大変じゃないの」

　おき玖は、自分の身に禍《わざわい》が降りかかってきたかのように顔を青ざめさせて、

「昔、おとっつぁんに、菓子ってもんは、好みで好き嫌いが分かれることもある、肴や菜と違って、文句なしに、誰のどんな舌にも、美味しく感じられなきゃいけないから、間口《まぐち》が狭く奥が深い。料理と同じか、それ以上に修業しないといけないって聞いたわ。おひささんもお小夜ちゃんも、菓子屋に奉公してたわけじゃないんだし、無理よ、酷すぎる、雲

雀屋さんに引けを取らない物を作るなんて――」

「おいら、天松堂さんは、この彼岸でわんさか長屋はぎを売っちまって、その後は、お小夜ちゃんたちの後ろ盾を、辞めたいんじゃないかと思ったりもした」

「だとすると、この無理難題は言いがかりをつけて、止《や》めさせる口実にするためだわ」

おき玖の眉がぐいと吊り上がった。

二人の顔が怒りと絶望で硬直している。

「臆測《おくそく》であれこれ言うのは、よくない」

季蔵は言い放った。

「二人共、おひささんとお小夜ちゃんのことを案じてのことでしょうが。天松堂さんは、そんな方ではありません。悪い方にばかり考えていると、ますます、光も出口も見えなくなるものです。お菓子好きの天松堂さんが駄々をこねるふりをして、おひささんやお小夜ちゃんに腕を上げてもらいたがっているのですよ。前に進みましょう」

季蔵が気合いをかけると、二人は渋々頷いたものの、表情の強《こわ》ばりは消えた。

「とびっきりの雛菓子といえば、やはり、京菓子だわね」

天松堂が引けを取らぬようにと明言している、江戸一と言われている雲雀屋鹿兵衛にしても、それに続く老舗《しにせ》の数々も、市中で胸を張ることのできる菓子屋は、どこも先祖が京から下ってきて開業している。

「まずは、雲雀屋をはじめとする、人気のあるお菓子屋さんに行ってみないと――」

おき玖の提案に、

「もう、とっくに、有平糖《あるへいとう》やおろすなんかの、色とりどりの雛菓子が売られてるはずだしね」

三吉が頷いた。

有平糖は氷砂糖に水を加えて煮詰めた飴《あめ》菓子で、これの一部に赤い色をつけて、紅白の棒飴とし、それを切り方によって、さまざまに工夫すると、おろすという名称の菓子になる。

「雲雀屋さんに出向いてみるのも悪くはないでしょうが、真似《まね》ることになりかねません」

意外にも季蔵は相づちを打たなかった。

「でも、ほかに策があるとは――」

おき玖は首をかしげた。

「とっつぁんは、さっき、お嬢さんが思い出してくれたように、菓子の修業の厳しさを話していた一方、〝菓子も肴も菜も、口に入るものに違いなどあるもんか〟とも洩《も》らしていました。わたしもそう思います。菓子作りの技や秘訣《ひけつ》をものにしようとする前に、箱に詰める雛菓子にどのような想《おも》いを託すかが、大事なのではないでしょうか？」

「それなら、春だわ」

おき玖の目がぱっと輝いて、

「やっとやっと訪れて来そうな、待ち遠しかった春の訪れがうれしくてならない」

「おいら、比見丹九のところへ持っていった花見重に入ってたやつ、季蔵さんが拵《こしら》えた、セリの早春鮨《ずし》を思い出したよ」

「わかったわ。春を想う心で作ったお菓子を箱一杯に詰めて、春を温かい甘さで伝えればいいのよ。そうでしょ？　季蔵さん？」

　季蔵は頷く代わりに微笑《ほほえ》んだ。

三

「そうは言ったって、おいらが花見重に詰めた、煉《ね》り切りの蝶《ちょう》や桜の花、若竹なんかじゃ、ありふれてて芸がなさすぎると思うんだけど――」

　三吉は救いをもとめるように季蔵を見た。

「春菓子箱――」

　呟いたおき玖は、

「萌える緑や花がうれしいのが春だけど、緑や花にこだわらずに春のお菓子を考えてみてはどうかしら？　春の訪れを喜ぶ心が美味しいお菓子になってればいいんだもの――」

「京風や形にこだわらないというのは賛成です。わたしたちが考える、雛菓子の箱詰めを、春菓子箱と名づけましょう」

　季蔵は大きく頷いて、

「そんなの、蝶や桜の花の煉り切りとは、比べもんになんねえほどむずかしいよ」

泣きべそをかきかけた三吉を、

「雛祭まではあと十日しかない。ここでの試作は明後日《あさって》と決める。それまでに、三人三様、蓋を開けた人の舌と心を打つ菓子を考えるとしよう。頑張ろうな」

笑顔で励まし、

「とっつぁんの残した日記が離れの納戸にある。数は多くないが菓子の類も書かれてはいる。手に取ってみるといい」

と言い添えた。

烏谷からの使いの者が、季蔵の住む銀杏《いちょう》長屋の木戸門を潜《くぐ》ったのは、翌日の早朝であった。渡された文には以下のようにあった。


向島《むこうじま》の升屋《ますや》金兵衛《きんべえ》の寮に、至急、駆けつけよ。案内は迎えの者がする。

烏谷椋十郎

「わかりました」

季蔵は味噌汁用の葱《ねぎ》を刻んでいた手を止め、飯を炊いた後の竈《かまど》の火を落とすと、身支度を調えて向島へと向かった。

日本橋から向島は半刻（約一時間）はかかる。猪牙《ちょき》舟《ぶね》に揺られていると、渡ってくる川風は冷たくはあったが、うっすらと、草木が萌え始める匂いを纏《まと》い付けている。

――これから、やっと、よい時季になるというに――

また、なにやら起きたのかと思うと季蔵は気が滅入《めい》った。

烏谷から直に呼びつけられる時は、十中八九、惨事が待ち受けている。

向島は商家の寮が多いことで知られている。大店では向島など市中からさほど離れていない風光明媚《めいび》な地に寮と称する別宅を持つ。別宅では、主一家が骨休めをしたり、知人を招いて花見等、四季折々の宴《うたげ》を催《もよお》すのである。

――向島に寮があるからには、升屋も大店には違いなかろうが――

季蔵は升屋金兵衛の名に聞き覚えがなかった。

――きっと、目立たず、黙々と商いを続けてきたのだろう。それにしても、何の家業かも見当がつかないとは――

季蔵が住んでいる長屋のおかみさん連中をはじめ、江戸っ子たちは噂《うわさ》好きで、瓦版《かわらばん》屋は大忙しの大繁盛である。

大店と称されている店では、主一家の冠婚葬祭には、ご近所への大盤振る舞いがつきものであった。往来にどんと置かれた樽酒《たるざけ》が飲み放題となったり、餅や銭がばらまかれるなど、振る舞いの品の種類や多少が話の種になった。

大店の主一家は役者ほどではないにしても、そこそこ名が知れていたのである。

「升屋さんの生業《なりわい》は？」

季蔵は案内の若い男に訊いたが、

「それがあっしも知らねえんで。ただ、自分のいるところに連れてくるようにって、相撲《すもう》取りみてえなお侍さんに、頼まれただけなんですよ」

　相手は困惑した表情で首を横に振った。

　季蔵は升屋の寮の前に立った。

　──ずいぶん荒れ果てた垣根と庭だ──

　手入れのされていないカラタチの垣根は、四方八方へ枝を広げている。中に入ってすぐの松の木は虫に食われて朽《く》ちかけている。

　池の水はどろどろと濁って、見渡せる庭は、骸骨《がいこつ》のように伸びている草木で埋め尽くされていた。石畳の上の苔《こけ》の色に、緑がちらと見えたものの、ほかに春の訪れはどこにも見あたらなかった。

　──いずれは時が過ぎて、夏となり、いちめんに雑草がはびこるのだろうが、鬱蒼《うっそう》たるその様子もまた、荒れ果てて見えることだろう──

　向島に寮を構える大店の主たちは、競うようにして、庭の手入れに余念がないものである。

　──おそらく、この何年間のうちに商いで行き詰まったのだろうが──

「それじゃ、あっしはここで」

　使いの者が去ると、季蔵は、

「わたしです、まいりました」

声を掛けて玄関を上がった。

家の中は湿った黴《かび》の匂いがする。

血の匂いが漂ってくる奥へと廊下を歩いて行く。

「よく来てくれた」

がらりと障子が開いて、北町奉行烏谷椋十郎が、仁王立ちで季蔵を迎えた。

「骸《むくろ》ですね」

血の匂いは烏谷の背後から立ち上っている。

応える代わりに烏谷は大きな身体を斜めにずらした。

仰向《あおむ》けに羽織姿の男が倒れている。頭部のぱっくりと二つに裂けた傷口から、血が滴《したた》り落ちて、畳半畳が血の海であった。

烏谷は守り袋を手にしていて、

「この中を改めて、この者は、京橋筋は因幡《いなば》町の質屋升屋金兵衛だとわかった。わかっているのはそれだけだ。升屋に人をやって、奉公人を呼んだゆえ、もうすぐ、駆けつけてくるだろう」

——地獄耳を任じているお奉行も、わたし同様、升屋金兵衛について知らないのだ——

「この者が命を落としたのは、その花活《はない》けで殴られたからだと思う」

烏谷は座敷の隅に転がっている、美濃焼の大きな花活けに顎《あご》をしゃくった。

「おそらく、正面から——」

ハルキ文庫 時代小説文庫 2013.3月

料理人季蔵捕物控 シリーズ最新刊

和田はつ子

Hatsuko Wada

料理は人を幸せにしてくれる

料理侍

料理人季蔵捕物控

美味い料理ほど、
うれしい生き甲斐はねぇ!

大ベストセラーシリーズ、第19弾!

時代小説文庫

定価 620円

角川春樹事務所

〒102-0074 東京都千代田区九段南2-1-30 イタリア文化会館ビル
TEL.03-3263-5881 FAX.03-3263-6087

※表示価格は全て税込価格です。

「ほかに傷はないな」

「一撃で殴り殺したのは、下手人に迷いのない証《あかし》です」

季蔵は屈《かが》み込んで畳の目に、じっと自分の目を凝らした。

「争って、揉《も》み合った痕《あと》があります」

「ほかに、この場で気づいたことは？」

血まみれの顔に違和感がある。

「何を見ているのだ？」

「もしやとは思うのですが――」

季蔵は懐紙を取り出して、骸の眉に当てた。拭《ぬぐ》った懐紙に墨の痕が眉の形に付いた。骸の顔から眉が無くなって、剃《そ》り落としていたことがわかる。

「京好きで、公家《くげ》のふりでもしたかったのだろうか？」

烏谷は首をかしげたが、

「そうではないと思います」

季蔵は両頰《ほお》が、ぷくっとこぶのように膨《ふく》れて落ちている様子を見逃さなかった。

「何ともおかしな顔よな」

烏谷も気がついて、

「髷《まげ》はまだ黒々としていて、四十歳そこそことういうに、これでは、六十歳を過ぎた爺《じじい》の顔ではないか？」

「確かめてみます」

やおら、季蔵は骸の口をこじ開けると、よだれにまみれた綿の塊を両頬から取り出した。

「ふくみ綿を使っていたのか」

烏谷は目を瞠《みは》った。

ふくみ綿を除《の》けた後の骸の顔は、眉さえ剃り落としていなければ、四十路《よそじ》過ぎの町人の男の顔に見える。

そこへやっと升屋の番頭《ばんとう》が駆けつけてきた。番頭と言っても、まだ、三十代の若さである。

「旦那様」

しばし、骸に取りすがった番頭は、主金兵衛に間違いないと何度も頷いた。

「その方、升屋に奉公して何年になる？」

烏谷の問いに、

「そろそろ一年になります」

「升屋の前に奉公していた先も質屋か？」

「いいえ、足袋《たび》屋でございます。理由《わけ》あって、店仕舞いとなって暇を出されたので、口入《くちいれ》屋さんにお願いして、こちらへの奉公となりました」

「升屋の給金はよい方か？」

「亡き主の前では申しにくいことなのですが、前の店の半分ほどでございます。でも、てまえは渡りでございましたし、たとえ派手さはなくても、潰れることがないのが質屋だと、世間は申します。幸い、旦那様同様、女房子供もいない独り身ですので、不服はございませんでした」

「ほう、ここに寮を持てるほどの大店の主、升屋金兵衛が、まだ、独り身だったとはな。跡継ぎがなくては、商いに精を出し、蓄財する楽しみもなかろうに——。それとも、どこぞに妾《めかけ》でも囲っておるのか？　知っておるなら話せ。新しい妾が出来て、古い方が焼きもちで狂乱するなど、痴情のもつれがこのような結末を招くこともある」

「旦那様は女遊びには無縁でございました」

そこで一度声を落とした番頭は、

「旦那様には、節約と金子《きんす》がすべてだったんです。升屋は番頭のてまえと小僧の二人しか奉公人はおりません。たった二人で商いだけではなく、煮炊き、庭掃除までしています。油がもったいないからと、てまえたちには決して、行灯《あんどん》を使わせない旦那様が、日々、夜更けて、ご自分の部屋に灯《あか》りを灯《とも》しておられたのは、瓶に溜めた小判を一枚、二枚と数えるためだったんです」

四

「商人の大事な心得は節約であろうが、寮を持つほどの大店に奉公人が二人とは驚いた。ならば、金兵衛はそちら奉公人を凌《しの》ぐ働き者で、質草《しちぐさ》を預ける者、質流れをもとめる者と、日々、客の出入りも頻繁《ひんぱん》で、さぞかし、商いが繁盛していたであろうな」

烏谷は番頭に主の話を続けさせようとした。

「寮は半年ほど前に旦那様が買われたものです。商いが左前《ひだりまえ》になっていた老舗が、長く手入れをしていなかったものを、安く買ったのだとおっしゃっていました。買ってすぐここへ掃除に来たてまえが屋根が傷《いた》んでいることに気づいて、雨漏りがするだろうから、まずは屋根を葺《ふ》き替えてはと申し上げると、〝とんでもない、屋根替えが幾らすると思っている？〟と叱《しか》られてしまいました」

「となると、もとより、金兵衛はここで寝泊まりする気がなかったのだな」

「ですから、どうして、ここに旦那様が来られて、こんな姿になってしまったのか、てまえには合点が行かないのです」

「金兵衛さんはどこぞへ出かけていたのですね」

ここで、はじめて季蔵は口を開いた。

「はい。三日前から、川越の知り合いのところへ。高値で売れる、大名家ゆかりのお歯黒道具や簪《かんざし》、笄《こうがい》（地肌を掻く機能のある髪留め）などを買い付けに行くとおっしゃって、店を留守にされていたんです」

「升屋の商いは質草よりも、買い取りと売却が本領だったのですね」

季蔵が念を押すと、

「蔵はいずれ金に換わる、宝の山で埋まっているというわけだな」

烏谷も相づちを打った。

「そういうわけでも――」

番頭は首をかしげて、

「旦那様は買い付けに出られても、〝めぼしいものがなかった。銭は無駄に使いたくない〟とおっしゃって、手ぶらで帰ってくることが多かったのです。それゆえ、店の蔵には、あまり品物がございません。〝蔵にお宝を置くと、在処《ありか》を知っている頭の黒い鼠《ねずみ》に、いつ持ち去られるかわからない〟というのが旦那様の口癖でした。頭の黒い鼠というのは、てまえたち奉公人のことだと思います」

やや悔しそうに唇を噛んだ。

――預かり品も買入品も多くない質屋が、どうやって、大店にのし上がってきたのか？

不思議でならない季蔵は、

「もしや、用心深い金兵衛さんは、ここの寮の蔵に、相当のお宝を隠していたのではありませんか？　奉公人たちを信じていなかったとしたら、旅に出て買い付けた品々を、店に帰る前に、まずはここに立ち寄って、蔵にしまって厳重に鍵《かぎ》を掛けていたのでは？　あなた方には内緒で、ここに呼び出した贔屓《ひいき》のお大尽《だいじん》に、こっそり売却していてもおかしくありません」

――そうだとしたら、繁盛の理由もわかるし、なぜ、主が殺されたかの見当もつく。下手人は蔵の中身を知ってねらった盗人で、不幸にも鉢合わせして命を奪われたのだ――

「旦那様はここは一切、構わなくてよいとおっしゃいましたが、てまえは蔵は商人の砦《とりで》と思っておりまして、主に内緒で、月に一度はここへ蔵の掃除に来ていたんです。鼠の巣こそ、見つかることはあっても、おっしゃっているような物は何一つありません。本当です。お調べいただければわかります」

番頭は表情を固くして、

「ゆめゆめ、てまえが蔵の中身を盗んだなぞとお思いにならないでください」

顔色を青ざめさせた。

この後、烏谷と季蔵は、すでに鍵が壊されている蔵を調べたが、番頭の言った通り、古びた壁に囲まれている土間の上には、長持ち一つ置かれていなかった。

「もう、帰ってよいぞ」

烏谷の言葉に、

「ありがとうございます」

平伏して背中を見せた番頭に、

「最後に一つだけ思い出してください。あなたは、ここの蔵の掃除に来ているのを、誰かに話したことはありませんか？　向島の升屋の蔵まで掃除に通っているのは、大事なお宝が眠っているからだというような、大法螺《おおぼら》を吹いたことは？」

「さあ――」

　またしても、蒼白《そうはく》になった番頭は、

「てまえの弱みは酒好きなことで。素面《しらふ》の時には洩らすはずなどないのですが――。夜、屋台で飲んだ時のことは、あまり、よく覚えていないんです。気が大きくなって、夢のような話を聞かせてもらったと、後で人に言われたことはありますが――」

　逃げるように立ち去った。

「ふーむ」

　烏谷は珍しく、口をへの字に曲げると、

「これという手掛かりのない事件ばかり、立て続くものだ。ここまで重なると面白がってばかりはおられぬな」

　思案顔となり、懐から料紙を取り出すと、さらさらと書いて、季蔵に手渡した。

「手掛かりとはいえぬものばかりの羅列だが、もはや、これを藪《やぶ》に見立てて叩き、蛇を捕らえるしかあるまい」

　料紙には以下のようにあった。

　一　比見丹九の家での版元田鶴屋弥八《やはち》、丹九妻さをり惨殺の件。刀傷により、下手人は侍と断ずる。行方知れずの比見丹九が下手人と思われ、広く探索を行っているが、いまだ、捕縛に至らず。丹九が二人を惨殺した理由は、不義を疑ってのことではないか。

二　比見の家での惨殺事件の後、はす向かいの絵草紙屋松見屋の留守宅に、空き巣狙いが入った件。羊羹二棹が盗まれ、薬罐に小便が残される。牢医夏井玄順の言により、甘い匂いの小便は消渇を患《わずら》っている者のものと思われる。

三　向島升屋の寮で主金兵衛が額を割られて殺害された件。度を過ぎた節約だけでは、金兵衛が現在の富を築いた理由が不明。金兵衛には眉を剃って描き、口中に綿を含んで、別人に見せる趣味あり。その目的は不明。

これを読んだ季蔵は、

――お奉行に伝えていないことがあった――

比見の家の座敷と厨《くりや》で見つけた、房楊枝《ふさようじ》と菓子楊枝のことが頭をかすめた。これを作ったのは房楊枝職人の恵太《けいた》であることはわかっている。だが、恵太もまた、比見丹九同様、事件直後に引っ越し先も告げずに姿を消して、行方をくらませていた。

恵太が関わっていると見なされれば、見つかり次第、たとえ二人を殺す理由を持つとされる比見丹九の行方が知れずとも、下手人と決めつけられかねない。

――その時は、小刀さえ扱えれば、刀も使えるだろうと、ごり押しされるだろう。お上は一刻も早く、立て続く事件を片付けたいのだ。お上が疑う相手の数を増やしてはならない――

「何か、不足があるか？」

烏谷にじっと顔を覗《のぞ》き込まれたが、

「松見屋に小便泥棒が入った話は、松次親分から聞きました。お奉行様はこれが、比見の家での惨殺やこの升屋金兵衛殺害と、関わりがあると睨んでおいでなのですか？」

　素知らぬ顔で聞き返した。

「比見の家と松見屋は近いゆえな」

「しかし、あまりに違い過ぎる事件です」

「下手人は、小便で我らに目くらましをかけているのかもしれぬ」

烏谷は、季蔵が松次に言ったのと同様の考えを示した。

「これはまだ、わたしの勘にすぎませんが――」

　前置きした季蔵は、

「比見の家、松見屋、升屋とあって、盗人の仕業かもしれないのは、松見屋と升屋です。比見の所では酷い殺しがなされていても、物は何一つ盗られていません。一方、松見屋は明らかに空き巣狙いです。升屋の主殺しは、楽しい酒が過ぎる番頭の大法螺を小耳に挟んだ盗人が信じて、まずは蔵に忍び込み、めぼしいものが無いので、家の中を探していて、出くわした主に見咎《みとが》められ、咄嗟《とっさ》にそばにあった花活けを、振り上げたのではないかと思うのです」

「松見屋、升屋の一件はつながるというのだな」

「比見の家、松見屋の近くに酒屋があります。そこの主を問い糺《ただ》せば、事件が起きる前に店を訪れた客が、比見の家についてではなく、松見屋のことを訊きたがっていたとわかるのではないかと――。主に嘘偽《うそいつわ》りのないところを話してもらってください」

「わかった」

烏谷は松次に、この調べを任せた。

後日、調べを終えた松次は、

「酒が性分をいい加減にするのか、そいつが本性なのか、ったく、酒好きの主には手を焼いたよ。本当のことを言わねえと番屋にしょっぴくぞと脅しをかけたところ、やっと、客の男がしつこく訊いてきたのは、比見の家じゃなく、松見屋のことだったと認めた。遊び人の博打《ばくち》打ちでもなく、どこにでもいるようなありふれた町人だったそうだ。博打打ちが比見の家を調べてたなんて嘘っぱちを言いふらしたのは、派手な殺しのあった家の方について話す方が、聞き手が喜ぶと思ったからなんだそうだ」

と、奉行所で話し、

「そやつが升屋殺しの下手人だとしたら、留守をしていた松見屋の女将は、命拾いをしたな。薬罐が小便桶《おけ》になったのも、あれこれ文句を言わずに、不幸中の幸いと喜んでもらわねばならぬ」

内与力《うちよりき》から聞いた烏谷はにやりと笑った。

五

「今日はいいお天気であったかだわ。まさに、春菓子箱作りにうってつけの日ね」

油障子を開けて季蔵を迎えたおき玖が、空から降り注いでいる陽《ひ》の光に目を細めた。

「三吉ちゃんは夜が明けた頃から来てるのよ」

「それでは、まずは、三吉から春菓子を披露してもらいましょう」

季蔵に声を掛けられた三吉は、

「合点、承知の助」

威勢よく応えると、

「おいら、金平糖《こんぺいとう》作りに凝ってて、長屋でずっと試してたんだ。そのおかげで、こいつを、やっと、思うように作れるようになった。本当によかったよ」

皿の上にころころと並んでいる、白、若草色、桜色の金平糖を愛《いと》おしそうに見つめた。

「金平糖はむずかしいものね」

感心したおき玖が相づちを打った。

金平糖は、浅く広い平鍋に並べた芥子《けし》の実に、毎日、少しずつ糖液を掛け、一寸弱（約二センチ）の大きさに仕上げるのに十四、五日はかかる。

「たしかに見事な金平糖だが、これだけがおまえの春菓子というわけではないはずだ」

「あったりめえですよ。まあ、見ててください」

どんと一つ自分の胸を叩いた三吉は、鉢に菜箸《さいばし》で卵の黄身をよく混ぜ合わせると、火を熾《おこ》した竈に、白砂糖と水を入れた小鍋をかけて煮立てた。

そして掌を二つ繋《つな》げたほどの大きさがある、円錐《えんすい》型の厚地の麻袋を取り出した。

——ほう、玉子素麺《そうめん》だったのか——

玉子素麺はカステーラと並んで、古くから伝わる南蛮《なんばん》菓子の一種である。たしか、長次郎《ちょうじろう》の日記に作り方が書かれていたように、季蔵は思い出された。

試したことはまだ無かった。

——絞り出し袋から工夫しなければならない玉子素麺は、ここからがむずかしいはずだ——


季蔵は三吉が気を散らすことを懸念《けねん》して、声を掛けずに見守り続けている。

当の三吉はその麻袋へ鉢の黄身を流し入れると、袋の先をほんのわずか切り、煮立っている砂糖水の中へ、くるくると廻《まわ》しながら、袋の中身の四分の一ほどを絞り入れた。

三吉の菜箸がゆっくりとした動きで、煮立った砂糖水の中の卵の黄身に火を通す。完全に卵の黄身が固まったところで、笊《ざる》に載せた濡《ぬ》らした布巾《ふきん》の上に引き上げ、水切りをする。

この作業を繰り返して仕上げた。

「三吉ちゃん、本番に強いのね。朝早くから、繰り返し、ずっと玉子素麺を拵えてたけど、今のが一番、綺麗《きれい》に出来てる」

笊の布巾の上に、目を走らせていたおき玖が歓声を上げた。

「やったあ——」

両手を上げて小躍りした三吉は、作り上げた玉子素麺が冷めたところで、器に盛り、すでに出来ている、色とりどりの金平糖を飾った。

「食べてみてください」

季蔵とおき玖の前に差し出される。

まずはおき玖が指ですくって口に運んで、

「ただ甘いだけじゃなくて、まったりした卵の濃厚な風味が何ともいえないわ」

「これには、何か、秘訣があるはずだ」

季蔵は細くしなやかに長い玉子素麵を、掌に取ってじっとながめた。

「さっきも言ったけど、ほんと、綺麗に出来てるわ」

おき玖は早朝から、三吉が盛んに試作していた玉子素麵と見比べて、首をかしげた。ものはどれも、比べると太目で明らかに短い。

「嘉月屋《かげつや》の旦那さんに粘りに粘って、とびっきりの玉子素麵の作り方を教えてもらったんだ」

菓子屋の嘉月屋嘉助《かすけ》とは、季蔵が湯屋の二階で知り合い、以後、菓子を通しての付き合いが続いている。

「でも、それ――」

おき玖は咎めるようなまなざしを三吉に向けて、

「秘伝の塊みたいなお菓子屋さんに、そんなあつかましいお願いをするなんて、おとっつあんが生きてたら、叱り飛ばされたはずよ。もしかしたら、あんた、ここを追い出されたかも――」

「そ、そんな――」

　おき玖の剣幕に怯《おび》えた様子になった三吉だったが、

「それで、いったい、どんな秘訣なんだ？」

　季蔵は意に介さずに促した。

「嘉月屋さんの話では、きんかん卵を使うんだって」

「なるほどな」

　きんかん卵というのは、鶏の内臓から取り出した卵の黄身である。

「こいつは粘りが半端じゃないんで、それで、絶品の玉子素麺ができるんだって。ただし、きんかん卵は、鶏屋と玉子素麺を作ってる菓子屋との間でずっと取引きされてきたから、そうは簡単に手に入らないだろうって。嘉月屋の旦那さん、おいらに秘訣を教えるのを渋ったのは、かえって気の毒な思いをさせちゃあ、可哀想《かわいそう》だって思ったからだって言ってた」

「まあ、前のとは卵が違ってたなんて――」

　おき玖は仰天し、

「それにしてもよく、きんかん卵を手に入れたな」

　季蔵はにっこりした。

「鶏屋でも粘って、昨日、今日と、夜明け前から、手伝いもして、やっと、幾つか、きんかん卵を分けて貰《もら》ったんだ。練習の分まではなかったから、大事なきんかん卵は、本番に残しとくことにしてたんだよ」

「苦労が報われたじゃないの」

さっきの剣幕とは打って変わって、おき玖は目を潤ませて、

「何って綺麗なんでしょう」

目映《まばゆ》い黄金《こがね》色に金平糖の春色がそっと載っている、三吉の玉子素麺に見惚《みと》れた。

「おいらね、春でいっとう好きなのは、お日様のあったかい光と菜の花なんだ。どっちも黄色で眩《まぶ》しくて似てるよね。欲張って、両方とも菓子にしたいって思ってて、先代の日記をながめてたら、あったんだよ、おいらの思い通りの菓子が――」

「春色の金平糖は、おまえが考えついたのだろう？」

長次郎の日記には、金平糖までは記されていなかったはずである。

「うん。ほかにも春らしい色があった方がいいって思ったから。はじめ、牡丹《ぼたん》の紅も、鮮やかでいいなって思ったけど、金平糖を紅にすると、玉子素麺の菜の花色が際立たなくなるんで止めたんだ」

「三吉が春の色に拘《こだわ》ったのなら、わたしは春の風と匂いに想いを込めてみました」

そう言い置いた季蔵は、白インゲン豆を煮て裏漉《うらご》しし、砂糖と合わせて、まずは白餡《しろあん》を作った。

クワイの皮をむき、これをすり下ろして、米粉少々でつなぎ、砂糖で軽く味付けし、白

餡を包み込んで、まん丸の饅頭に作り上げた後、油で揚げ、粉砂糖を振りかけて仕上げる。積み上げて盛りつけた。

「わかった、これは、揚げ色の茶を土に見立てて、粉砂糖が土埃《つちぼこり》。名づけて春一番。土埃は嫌だけど、お菓子にすると美味しいんだから憎いわね。こういう洒落《しゃれ》、上方《かみがた》じゃ下品ってことになるんだろうけど、この江戸じゃ、きっと大受けするわ。それになんたって上品な揚げ饅頭なんでしょ」

「光栄です」

季蔵が頷くと、おき玖に倣ってぱくりとほおばった三吉は、

「こりゃあ、美味《うま》いや、後を引く」

遠慮がちではあったが、二つ目に手を出した。

「次は春の匂いでしょう?」

「はい」

季蔵は水溶きした葛《くず》と梅酒を合わせ、砂糖少々を加えて、火にかけて充分に練り上げると、これを流し缶に流し、蒸籠《せいろう》で蒸して冷ましてから、四角に切り揃《そろ》えた。

先代から伝えられている、六つの丸で梅の花を模した星梅鉢《うめばち》の焼き鏝《ごて》を使って、焼き印を押す。その後、葛粉を振りかけて、さっと焼き上げて仕上げる。

長四角の小さな菓子皿に、懐紙を敷き、その中ほどに平たく載せた。

「思い出した、その星梅鉢の焼き鏝、おとっつぁんが、屋号にちなんで作らせたんだった

わ。たしか、どこぞの大店から、花見重を頼まれて、桜鯛《さくらだい》で蒲鉾《かまぼこ》を作った時だったっけ。あれから、見かけなかったのに、季蔵さん、よく見つけたわね」

「日記と一緒にしまわれていました」

長次郎は大事なものは、皿や重箱、特別誂《あつら》えの椀など、すべて、日記同様、離れの納戸に移してあったのである。

「名付ける前にお味見を——。さっきの丸い春風が町人のお菓子なら、四角四面のこっちはお武家のお菓子のようね。これを食べる時は、背筋を伸ばして、菓子楊枝を使わないと申しわけないような気がするわ」

おき玖と三吉は珍しく、菓子楊枝を手にした。

「雛祭には、白酒が付きものだけど、梅酒も悪くないわね」

「こいつも後引くけど、これ以上は、おいら、酔っちまうよ」

おき玖だけが、二切れ目に菓子楊枝を伸ばして、

「これには、春塩梅《はるあんばい》って名がぴったりじゃない？」

「いいんですか？　わたしがひょいと思いついたものに、そんな大それた名をつけていただいて——」

季蔵が不安げに念を押すと、

「この春塩梅ほど、春が香ってて、きりっと美味しいお菓子、あたし、食べたことないもの、大丈夫よ。あの世のおとっつぁんに食べさせてやれないのが残念。それよか、おとっ

つぁん、今頃、三吉ちゃん、季蔵さんの後のあたしのお菓子が見劣りしないか、冷や冷やしてるんじゃないかな」

いよいよおき玖の出番であった。

六

「形に拘らない雛菓子ってことで、三吉ちゃんは南蛮菓子、季蔵さんの春一番や春塩梅は、江戸の町人、武家風よね。どっちも、たまたまなんだろうけど、京風じゃあないわ。あたしは、京風を避けるのも、また、拘ってるってことだと思って、あえて、どんぴしゃの京風菓子を考えてみたの」

そう言って、おき玖は、親指と人差し指で作った輪の中に入るほどの大きさのハマグリ数個を取り出して並べた。どれも、中身のない開いた殻である。

「貝合わせにちなんだ菓子ですね」

季蔵が言い当てて、

「なるほど、春は貝が旬ですから、貝合わせにちなんだ菓子ともなれば、なかなかの風流です」

「小さい頃、あたし、おとっつぁんに、草紙に出てくる貝合わせの道具や箱をねだったことがあるのよ。そしたら、おとっつぁん、〝ああいうたいそうな品は、お姫様しか持ってはいけねえもんだ〟って言ったの。たしかに草紙じゃ、貝合わせは、お姫様の典雅な遊びだったんで、その時はおとっつぁんの言うこと、すんなり聞けたのよ。ところが、大きくなってくるにつれて、大店のお嬢さんたち、ようはお大尽のとこには、お道具類があるってことが、雛祭に招かれてわかったの。おとっつぁん、貝合わせのいろいろがえらく高かったから、方便を言ったのよ。だから、貝合わせもそのお道具類も、ずっと、あたしの夢だったわけ。それで今回は何とか、お菓子にしてみようと思ったの」

おき玖は鍋に入れたわらび粉と砂糖を少量の湯で溶き、さらに湯を加えて火にかけ、充分に練り上げた。

すでに拵えてあったこし餡を小さい団子に丸め、まだ熱い状態の練りわらび粉で包み込み、餡入りのわらび餅に作った。

これに、肉桂粉《にっけい》（シナモンパウダー）、黄粉《きなこ》、鶯粉《うぐいすこ》（うぐいす豆粉）、季蔵が春一番で使ったのと同じような粉砂糖、氷餅（切り餅を凍結、乾燥させたもので、霜柱のような粒）をまぶしつけ、二枚に分かれているハマグリの殻の一枚の中に納めた。

「一応、五色のわらび餅なのよ。こうしておいて、何の粉がかかってるかわからずに、貝の蓋を開いてみるのって、結構、楽しいんじゃないかと思って――」

おき玖は陶器の菓子盆に残りの一枚で蓋をした五色のわらび餅入りのハマグリを積み上げて、

「試してみてくださいな」

手を伸ばしてハマグリの蓋を開けた三吉は、

「残念、おいら、馴染みのある黄粉がよかったんだけど――」

肉桂粉がまぶされたわらび餅を、しかめっ面《つら》でほおばると、

「わらび粉とこし餡が合わさると、肉桂の餡とは違ってくるんだね。薬臭いって感じ、全然ないよ。これって、上品って言うんだろうけど美味い」

季蔵は氷餅のまぶされた一品を引き当ててると、しみじみと見入った後、しばし目を閉じ、

「わらび餅から透けてこし餡が見えている様子が土を想わせます。この上にかかっている肉桂と黄粉は、寒々とした黒土に、そろそろ、注がれ始めた春の光のようで、鶯粉はおずおずと顔を出したばかりの新芽、粉砂糖は春一番の風を想わせるものの、まだ、寒さは残っていて、氷餅のような霜柱が立つ。この五色は、まだ春浅い今時分を、余すところなく、表しています。お見事です。とっつぁんもきっと喜んでいるはずです」

目を開き、おき玖を賞賛した。

「そ、そんなに褒めてもらうほどのもんじゃないわよ。肉桂、黄粉、鶯粉、粉砂糖、氷餅、どれも、五色にするための数合わせだったんだから。粉砂糖だって、季蔵さんほどの想いがあって、選んだんじゃないし――恥ずかしいわ」

おき玖はおろおろと戸惑い気味に顔を赤くして、

「おいらは肉桂のほかも食べてみたい」

三吉が舌舐めずりをしたのを幸いと見て、

「はい、はい」

また、せっせと五色のわらび餅作りに励んだ。

「かかってる粉が違うと、飽きないで幾らでも食べられる」

三吉は風情のない物言いをする一方、

「これ、一応、あたしは五色わらび餅って名付けたんだけど――」

おき玖が自信なさげに呟くと、

「それじゃ、花みてえに綺麗なお姫様の姿が浮かばねえと思うよ。ひな姫餅ってえのはどうかな？」

意外な提案をして、

「いいわね、それ」

貝合わせにちなんだ菓子は、ひな姫餅と名づけられることになった。

出来上がった四品を長屋はぎへ届けた三吉は、翌日、おひさ、お小夜に作り方を伝授する運びとなった。

「お小夜ちゃん、とっても喜んでくれたよ。あんまり出来がいいんで、すぐに詰める箱が頭に浮かんだって。逸品の雛菓子折には、それなりの箱じゃゃねえと――。箱は黒一色にすると、おいらたちの菓子が一段と映えるだろうってさ。お小夜ちゃんが、絵が上手なの、知ってるよね。お小夜ちゃん、黒の箱にかける白いのしに、桃の花の絵を描くことにしたんだよ。いいよね、黒い箱に白いのし、その上、紅に近い、濃い桃色の桃の花。黒髪に白粉《おしろい》、紅をさしたおちょぼ口、姫様にだって負けない、粋な江戸美人、ここにありだよ」

上機嫌の三吉の興奮は止まなかった。

「季蔵さん、いるかい？」

岡っ引きの松次が塩梅屋を訪れたのは、三吉がいない翌日の昼過ぎであった。三吉がいないと、季蔵も仕込みに追われている。

「いらっしゃいませ」

包丁の手を止めずに応えると、

「忙しいところをすまねえんだが——」

松次は珍しく、差し出されたおき玖の甘酒を断って、

「ちょいと、つきあってもらいてえところがあるのさ。くわしいことは、歩きながら話す」

「わかりました」

季蔵は松次と一緒に店を出た。

「松見屋の小便泥棒のことなんだが——」

松次の足は松見屋のある米沢町へと向かっている。

「何か、進展があったのですね」

「どうだかね」

苦笑した松次は、

「またぞろ、松見屋の女将に呼びつけられたんだが、俺はあの女が苦手なんだよ。お偉方

の名を出して、早く捕まえろと責め立てて、がみがみまくしたてるんだ。横っ面《つら》を張りたいのを抑えて、じっと聞いてるのがやっとなんだ。これじゃ、埒《らち》があかねえだろうから、あんたについてきてもらおうと思いついた」

そんな話をしているうちに二人は松見屋の前まで来た。

常は江戸土産《みやげ》をもとめる、田舎侍などで賑《にぎ》わっている松見屋も、今は本日休業の札を下げて、店を閉めていた。

「これはよほどのことだな」

松次は憂鬱《ゆううつ》そうに呟いて、勝手口に回った。

「お待ちしてました」

下働きに通ってきている少女が迎えてくれた。

「女将さん、身体の調子を崩して、お部屋でお休みですが、親分がおいでになったら、お座敷の方へお通しするようにと言いつかってます」

二人は案内された座敷に座って、女将を待つことになった。

「あれはどうしたんでしょう？」

部屋の隅にある長火鉢を、ちらと見た季蔵は松次に呟いた。灰に大きな穴がぽっかりと空いている。

「おおかた、掛かっていた薬罐に、小便を溜められたのが気に障《さわ》って納まらない、癇性《かんしょう》の女将が、自棄《やけ》になって、灰にでも、当たり散らしたんだろうよ」

松次はうんざりした物言いである。

——しかし、自棄であれほどの穴を空けたのなら、灰は、辺りに飛び散って、畳を踏んだ時、素足に触れたはずだ——

茶が運ばれてほどなく、

「お待たせしました」

女将のお弥重《やえ》が障子を開けた。

「おや、親分、今日はもう一人、助っ人をお連れになったんですね」

お弥重は整った細面《ほそおもて》の尖《とが》った顎を、ぐいと突き出すようにしてうっすらと笑った。

「まあな」

ぶすりと応えた松次は、知らずと腕組みをして、

「さあ、用件を話してくれ」

お弥重を促した。

「娘のところへ行ってて、留守をしていたあたしが家に帰ったら、中が荒らされてて、どんなに気が転倒したかってこと、わかっていただけますよね」

お弥重は季蔵の目に訴えた。

「よく、わかります。さぞかし、恐ろしい思いをされたことでしょう」

季蔵は同調した。

「ええ、それはもう。いっそ、店を畳んで、娘のそばへ越そうかと思ったほどですよ。で

もね、娘の嫁ぎ先の手前もあって、そんなこと、できやしません。何日も眠れない日が続きましたが、そのうちに、だんだん気持ちが落ち着いてきて、わかったんですよ」

「これという手掛かりを見つけたのかい？」

松次は身を乗り出した。

「空き巣に入られて以来、この座敷を歩くと、足裏にざらっと灰が付いてたんですけど、何しろ、また入られるんじゃないかって怯える毎日で、気に留めるでもなく過ぎてました。でも、やっと、灰が足裏に付く理由がわかったんですよ」

「空き巣は羊羹をかっぱらって、小便を薬罐に垂れてっただけじゃ、なかったってことだな」

長年、探索に携《たずさ》わってきた松次は飲み込みが早かった。

七

「そうなんですよ」

お弥重はわが意を得たりとばかりに声を張って答えた。

「あたしには二つ、大事なお宝があるんです。身請《みう》けしてくれた旦那から貰った、大事な形見の品で、紅玉珊瑚《さんご》の簪と鼈甲《べっこう》の笄です。ここなら、絶対大丈夫だと信じて灰の中に隠してたんです。それで、気がつくと、あたしは大慌てで、火鉢の中を探したんですけど、見つかりませんでした。ああ、やられてしまったと思いましたが、あたしにとって、死んだ旦那は、苦界《くがい》から助け出してくれた上に、娘まで授けてくれた大恩人です。旦那からの簪と笄には、値打ち以上の想いがあるんです。こんなことになってしまっては、旦那に申しわけが立たない、冥途《めいど》で会った時、どう言って謝ろうかと思うと、気が気ではなく、心底、気落ちしてしまって、すぐに親分をお呼びする気にはなれませんでした。火鉢の灰の中に隠したものまで、探し当てる盗人ともなれば、どうせ、お宝は戻って来やしませんし――」

「あの世じゃ、この世があまさず見えるってえから、あんたの旦那は、升屋金兵衛殺しの下手人が、小便泥棒だったとしたら、きっと、それもお見通しだ。案外、簪と笄ですんでよかった、あんたが無事で何よりだって、思ってるかもしんねえよ」

松次は親身に慰め、

「女将さんが親分を呼ぼうと決めた理由《わけ》をお話しください」

季蔵は先を促した。

――その簪と笄に関わって、下手人の手掛かりを摑《つか》んだのでは？　羊羹は食べられてしまえば仕舞いだが、簪等なら、たとえ売られても、そのままの形を止《とど》める――

「独り暮らしの気ままさもあって、あたしは湯が大好きなんです。気持ちの晴れない時は湯屋が一番なんですよ。簪や笄が盗まれたとわかって、何日か過ぎた頃、いつもの湯屋へ行ったところ、釜焚《かまた》きが急病で開けるのが遅くなるっていうんで、それならと足をのばして橘《たちばな》町の湯屋に行ったんですよ。近くに住む芸者衆と一緒になりましてね。二人の話が聞くともなしに聞こえてきたんですよ。〝お姉さん、高座（番台）に預けた桜の細工の鼈甲の笄、湯から出たらよく見せてくださいな。ところで、あんなに見事な笄、どの旦那から貰ったんです？〟〝頂いたんじゃないよ。自腹さ。富沢町の何と言ったかしら、三味線《しゃみせん》の稽古《けいこ》の帰りに、何の気なしに立ち寄った小さな骨董《こっとう》屋で買ったのよ。古着屋だと思ったのが骨董屋で、是非にと勧められたのさ。同じようなものが、名前のあるところじゃ、この二十倍はするのを知ってたから、すぐに決めたの。あんなところに、ここまでのいい品が売られてるなんて、不思議なこともあるもんだね。また行って、掘り出し物を漁《あさ》るつもりよ〟と、自慢げに話していたんです」

お弥重の顔が、険しくしかめられた。

「それを聞いたあたしは先に湯からあがって、芸者衆があがるのを板場で待ちました。そして、高座から受け取るのをしっかり見届けました。一工夫も二工夫もされた、重なりあった桜の細工なんで、見間違えるはずもありません。死んだ旦那を横取りされたような切ない思いでした。その日の夜は熱まで出して、お医者に来てもらうほどで、何日か寝込みました。熱が下がって、そこそこ気力が出てくると、盗られたことが、悔しくてならなくなり、涙まで出てきて止まらなくなったんで、親分を呼ぶことにしたんです。芸者二人の名前は耳に残しておいたので、鼈甲の笄は買い戻します。紅玉珊瑚の簪の方は、盗人を捕まえて、白状させせ、何としても、取り戻してください」

「わかったよ、必ず、あんたの想いが叶《かな》うようにする」

神妙な顔で大きく頷いた松次は、季蔵を促して松見屋を出ると、ずんずんと富沢町へと向かって行く。

「芸者さんたちの話にあった骨董屋は、富沢町の裏店《うらだな》でしたね」

「火鉢の灰の中から盗み取ったお宝だって、どこぞで売りさばかなきゃ、銭にはなんねえし、裏店に骨董屋は珍しい。店を構えてて、じかに客に売ってりゃ、足もつきにくいし、ぼろ儲《もう》けさ」

二人は足を速めた。

富沢町の裏店は古着屋が建ち並んでいて、店先では、色とりどりの古着の着物や袴《はかま》が風にそよいでいる。

「ここいらに骨董屋はねえかい？」

裾模様《すそもよう》に雛人形が描かれている、色のやや褪《さ》めた振り袖の前で、松次が立ち止まって、金壺眼《かなつぼまなこ》をぎょろりと剝《む》くと、

「それ、富士吉《ふじよし》じゃないかしら」

店番をしていたおかみさんが教えてくれて、

「あそこは商いをはじめてから、日が浅いし、ここは古着を買いに来る人が多いのに、たいした繁盛ぶりで羨《うらや》ましいね。訪ねてくるお客さんたちは、贔屓になってる人も多いけど、出物《でもの》を驚くほど安く売ってるって、噂を聞きつけて来るんですよ」

ため息をついた。

富士吉は油障子を閉めたままで、店先に何の陳列もなく、軒につるされた〝良品、安値売却〟と書かれた木片が風に揺れている。
一、二歩、後じさった松次が、十手《じって》を指さして、季蔵に顎をしゃくった。
――まずは、あんたが当たってみてくれ。俺はここで待つ――

――わかりました――

目で頷いた季蔵は、閉めきられた油障子を引いた。

「いらっしゃいまし」

物音を聞きつけて、奥から出てきた男は年齢《とし》の頃、二十八、九歳で、骨董屋の主にしては若く、身に付けている小袖と揃いの大島紬《つむぎ》の羽織は、渋すぎるものの上物であった。

「古着をもとめに来たところ、面白い店に行き当たったので立ち寄ってみたのです」

「まあ、ごゆっくり、ご覧になって行ってください」

主は貼り付けたように笑顔を崩さずにいる。

季蔵はぐるりと店の中を見回した。

仏像や茶器の類がぽつぽつと置かれているだけで、これだけでは、骨董屋とは名ばかりである。

「品揃えはこれだけですか？」

「お探しのものがございましたら、仰《おお》せつけください。奥にしまってあるのをお見せいたします」

「実は簪を探しているのです」

「簪ですね」

ちらちらと季蔵の身なりを見ていた相手は、

「少しお待ちください」

衝立《ついたて》の向こうへ入って、出てくると、銀の平打ちの簪を数本、手にして戻ってきた。

「桜に芭蕉《ばしょう》、菊、紅葉、椿《つばき》と、四季折々の草木を象《かたど》ったものです。銀と見て、怯《ひる》まれることはありませんよ。うちは他店《よそ》より、格段にお安くさせていただきますので、どうか、ご安心ください」

「安くしていただけるのは有り難い限りですが、銀だけでは物足りぬ気がすると、きっと主が申すことでしょう」

「旦那様のお言いつけで探されているんですね」

骨董屋の主の目がぎらっと光って、

「それではお待ちください」

また衝立の向こうへと入って、出てきた時は、親指の先ほどもある、見事な紅玉の珊瑚の簪を差し出すように見せた。

――これだ!!――

季蔵は確信した。

「これなら、どんな方でもお気に入られるはずです」

「素晴らしい」

手に取ってしげしげと見入った季蔵は、

「何かここに付いています。灰のように見えます」

不意にその目を主の髷にも向けて、

「あなたの頭にも松見屋さんの火鉢の灰は付いています」

きっぱりと言い切った。

「なにぃ――」

相手の顔から笑みが消えて、

「あんた、まさかお上の――」

衝立を蹴飛《けと》ばして奥へと駆け込んで行く。

季蔵は、縁側から走って外に出た相手の後を追った。

盗人だった主は、そのまま道を走り続けた。逃げ足は速い。季蔵も懸命に走ったが、なかなか追いつけずにいる。

すると、人通りのない裏道を、向こうから、でっぷりと太った若者が歩いてきた。盗人主は気づかずに、思い切り、どしんとぶつかって、ごろんと跳ねとんだ。

「あ、饅頭が――」

巨漢の若者が手にしていた包みから、ころころと大きな酒饅頭がこぼれ落ちた。

「馬鹿野郎」

「兄さん、どうしたんだい？」

仲間の男は、転がっている饅頭をまだ目で追っている。

「このうすら馬鹿が」

兄貴分から繰り返し悪態をつかれて、目を白黒させている。

「痛ててて、足を折っちまって歩けねえ。ぼやぼやしてねえで、俺を背負って、ここから逃げるんだよ」

兄貴分は甲高《かんだか》い声で命じたが、時すでに遅し、

「季蔵さん、ちょいと、こいつらをふん縛るのを手伝ってくんな」

見張りを続けていた松次も追いつき、十手を掲げて、二人の盗人に駆け寄った。

第四話　つくし酒

一

骨董屋《こっとう》の主《あるじ》とその仲間は、吉三《きちざ》と世平《よへい》という名の盗人《ぬすっと》で、松見屋《まつみや》だけではなく、空き巣狙《ねら》いで多くの盗品を得ていたことがわかった。

富士吉《ふじよし》から鼈甲《べっこう》の笄《こうがい》をもとめた芸者は、松次《まつじ》の口添えで、買った値で松見屋の女将《おかみ》に売ることを承諾したので、季蔵《としぞう》が盗人たちの店で見つけた紅玉珊瑚《さんご》の簪《かんざし》ともども、大事な形見は無事持ち主に戻った。

消渇《しょうかち》を病む世平は頻尿《ひんにょう》を堪《こら》えきれずに、松見屋で薬罐《やかん》に小用を足したのだったが、

「消渇？　何だい、そりゃあ？」

自分の病も知らなかった。

「何もかも、あいつのせいだ。ったく、取り柄ときたら、長持ちなんぞを運ぶ、馬鹿力だけだったんだから」

そもそも、世平が日に十個は食べずにはいられない、酒饅頭《さかまんじゅう》を抱えて戻ってきたのが運

の尽きだったので、吉三は弟分を罵《のの》り続けた。

この二人は比見《びみ》の家の近くの酒屋で、お宝がありそうな家はないかと聞き込んでいたのだった。

「一人暮らしの婆さんの小せえ部屋に二つも火鉢があるのはおかしいと思ったんだ。案の定、世平が小便が漏れそうだってんで、薬罐を遣《つか》ったとき、灰の中を探ったら出てきたんだなあ。お宝が」

吉三は、自慢げに語った。

また、向島の升屋《ますや》の蔵にとてつもないお宝の山があると聞いたのは、升屋の番頭と屋台酒を飲んでいた、弟分の世平だったが、吉三と忍び込んでみると、蔵はもぬけの殻だった。

せめて、香炉の一つでも、盗んで行こうと、吉三が言い出して、家の中へと入り、座敷の障子を開けたところ、角頭巾《すみずきん》を被《かぶ》った白髪《しらが》頭の老爺《ろうや》が振り返った。

「鬼みてえな怖い目で俺たちを見たんだ」

咄嗟《とっさ》に吉三は床《とこ》の間《ま》に駆け寄って、そこにあった花活《はない》けを振りかざし、相手の頭めがけて、力いっぱい振り下ろしたのだった。

「やっぱりあいつが主の金兵衛《きんべえ》だったのか。はじめはご隠居の形《なり》はしてるが、俺たちと同じ盗人だと思ったよ。主はまだ四十歳半ばだって聞いてたから、こいつが主だなんて、思ってもみなかった。ところが、骸《むくろ》を探って、先にせしめちまってるかもしんねえお宝を探してて、頭を揺らすと、すぽっと角頭巾が白髪頭ごと抜けちまったんだ。これには滅多なことじゃ驚かねえ俺たちも肝《きも》を潰《つぶ》した。あとはただただ、あわてふためいちまって、そこらへんに散らばってる物をかっさらって逃げたよ。それから後は、このことについちゃ、なーんにも考えねえようにしてた」

脱げた角頭巾と白髪頭の鬘《かつら》、ふくみ綿の入った布袋や眉墨《まゆずみ》、隠居の着る被布《ひふ》や、襟巻《えりまき》が入れられた行李《こうり》が、骨董屋富士吉の押し入れから見つけられた。

金兵衛は、隠居姿の身なりを元に戻すために、向島の寮に立ち寄った折、不運にも盗人たちに殺されたのである。

金兵衛が揃《そろ》えていた隠居になりすますための一式は、貸し着屋が、頼まれて、特別誂《あつら》えをしていたものだとわかった。

趣味が禍《わざわい》して、妻と旧友に殺される羽目になった扇子問屋津田屋《つだや》七左衛門《しちざえもん》が通っていた先の貸し着屋衣着子屋《きつねや》が、

「わたしどもは、ただ、おっしゃられるままにご用意しただけでございます」

重い口を開いたのである。

「おそらく、手入れもせず、これといった使い道がないのに、金兵衛が向島に寮を買ったのは、質屋の主から隠居に、あるいはその逆にと、入れ替わるためだったのだろう。趣味ならば、隠居だけではなく、多種多様な者に化けてみたくなるはずだ。これは、津田屋とは違って、断じて、趣味なのではない。きっと何かあるぞ」

季蔵は烏谷《からすだに》から、金兵衛の目的が何だったのか、急ぎ調べるよう命じられた。

それから何日かして、太郎兵衛《たろべえ》長屋の武藤多聞《むとうたもん》が、桶《おけ》一杯の生烏賊《いか》を抱え持って、塩梅屋《あんばいや》を訪れた。

「試作が遅くなって、あいすまぬ」

戸口に立った武藤は律儀に頭《こうべ》を垂れた。

「裏庭に芽吹いたヨモギが、青々と葉を付け始めてきた頃です。そばを通っただけで、清々《すがすが》しく香り立ち、野外での烏賊焼きにふさわしく繁《しげ》るには、もうしばらく時がかかりますから、ご懸念《けねん》には及びません」

季蔵は笑顔で武藤を招き入れて、

「よろしく、お願いします」

礼を返すと、頷《うなず》いた武藤は早速、烏賊焼きの仕込みを始めた。

「烏賊焼きって、ただ、焼いてタレ付けるだけじゃないのかぁ」

居合わせている三吉《さんきち》が目を丸くした。

「まあ、いろいろ、焼き方はあるだろうが、それがしはこれが一番だと思う」

武藤は、まず生烏賊の内臓と吸盤を包丁でしごき取り、さらにゲソと称される足を取り除《の》けた。

胴に切れ目を表裏四本ほど入れて、等分の酒、醤油《しょうゆ》、すり下ろした生姜《しょうが》を混ぜた下味に、四半刻（約三十分）漬けておく。

下味のほかに、焼き上がった後にかけるタレが必要で、これは等分の砂糖、醤油、七味唐辛子と、これらの半量の酒を混ぜておく。

「裏庭に七輪の用意ができてるわよ。今日は、お日様のご機嫌が悪くて、まだ、ちょっと寒いけど」

おき玖《く》が声を掛けて、下味のついた烏賊が七輪の網の上に載せられる。

焼き上がった烏賊の丸焼きをおき玖が切り分けようとすると、

「それは断じてない」

武藤が厳しい表情で首を横に振って、

「屋台の烏賊焼きを引き合いに出すまでもなく、一人につき、丸々一杯と決まっておる。食うた時の醍醐《だいご》味《み》あってこそ、烏賊焼きである」

こうして、屋台風の烏賊丸焼きは、七輪で香ばしく焼き上がるのを待って、一人ずつ、順番に試食されることとなった。

「烏賊焼きの屋台って、遠くからでも、たまんない、いい匂《にお》いがしてわかるんだ。つい、ふらふらっと寄ってっちゃうんだけど、ほら、烏賊焼きの屋台って、酒飲みの大人でいっぱいだから、子供のおいらは肩身が狭いんだ。屋台のおやじだって、おいらを馬鹿にして、焼いて置いてある冷めたのを寄越すんだよ。だから、焼きたてがこーんなにふっくらしてるとは知らなかったよ」

三吉はしみじみと感激し、

「実はね、おとっつぁん、屋台の烏賊焼きが大好物だったのよ。でも、店の品書きには入れなかった。〝うちは一膳飯屋で、烏賊焼きの屋台じゃない。烏賊焼きを献立に載せちゃ、烏賊料理に後がないよ〟って。それだけ、強烈に美味《おい》しいってことだわね」

おき玖は打ち明け話で烏賊焼きを絶賛し、

「塩梅屋の裏庭での烏賊焼きは、年に一度だけ、春の楽しみにするつもりです」

季蔵は安心してくださいと、心の中で亡き長次郎《ちょうじろう》に手を合わせた。

「ゲソはまだ、漬けとくのかな？」

三吉が下味の付いたままの烏賊の足をちらと見た。

「これは二、三日うちに、鉄鍋で焼いて、賄《まかな》いにでも食べるといい。味がよくしみているので飯とよく合う」

応《こた》えた武藤に、

「丸のままの烏賊も、ゲソのように漬け込んで一日ほど寝かせておき、耳や足を取り除いた中に、ヨモギの葉を詰めて焼くというのはどんなものでしょう？　焼き上がっても、タレはかけず、ヨモギの葉を取り去ると、すでに香りが烏賊焼きに移っていて、春らしい野趣が感じられる烏賊焼きになるのではないかと思います」

季蔵はふと思いついた料理法を口にした。

「はて――」

しばし、武藤は、ヨモギを腹に詰めた烏賊焼きの味を、逞《たくま》しく想像している様子だった

が、

「よいが、香りの強いヨモギは、好き嫌いの分かれるところだ。ヨモギとタレ、どちらにするか、好みを聞いてから、各々《おのおの》を専用の七輪で焼き上げれば苦情は出ないのでは？　もっとも、それがしならヨモギを選ぶ。屋台の烏賊焼きは文句なく美味《うま》いが、やや品位に欠ける。その点、ヨモギの香り立つ烏賊焼きは上品だ」

ヨモギ風味の烏賊焼きを讃《たた》えた。

「今度は烏賊焼き勝負だね。タレか、ヨモギか、うちの烏賊焼き食べにくるお客さんたち、どっちを選ぶかな？」

三吉は目を輝かせ、

「また、楽しみが増えたわね」

おき玖が笑顔で相づちを打った。

烏賊焼きの試食が終わると、

「実は、折り入って話したい」

武藤は帰らずに季蔵の前に立った。

「それなら、こちらへどうぞ」

すぐに、気を利かせたおき玖が武藤を離れに案内した。

「ここの先代が入られていると見受けられるゆえ、それがしは拝ませていただく」

仏壇に線香を上げ、しばし瞑目《めいもく》して両手を合わせた。

「お待たせしました」

季蔵は淹《い》れた茶を武藤の前に置いて向かい合った。

「それがしが烏賊焼きの試食のため、ここへ足を向けるのを、遅らせていたのには理由があったのだ。季蔵殿は浜松町にある円実屋《まろみや》をご存じか？」

「豆などの雑穀を売る店で、時折、仕入れに出向きます。店主の心意気なのでしょうが、なかなか、選《え》りすぐった品を揃えているので重宝しています」

「それがし、去年の年の瀬、その円実屋に、庭掃除、その他の雑用で雇われた。それまでの爺さんが、一世一代、箱根の温泉で正月を迎えたいと、暇を取ったゆえであった」

「たしか、円実屋さんには跡継ぎがなく、店は老夫婦二人でまかなっていたかと――」

雑穀屋では、そこそこに商いが繁盛しても、所詮《しょせん》、小さな商いであった。

「そうだ。そして、それがしは、下働きの爺さんが戻ってくる、松が取れるまでという約束で雇われた。ところがいつになっても、宇三郎《うさぶろう》という名の爺さんは、箱根から帰って来ない。長年勤めたというのに、文《ふみ》一つ寄越さない始末だ」

二

「するとまだ、武藤さんは円実屋さんに通っているのですね」

――それが、気にかけていながら、訪れることができなかった理由なのだな――

「老いた夫婦とあって、主は商いに、身体のそれほど丈夫ではないお内儀《かみ》は、煮炊きや針仕事で手一杯で、庭掃除などの雑用までは手が回らぬゆえ、時折な。ただし、仕事料は貰《もら》っていない」

――仕事料も貰わぬのに、非力な老夫婦を案じて、辞めないでいたとは、優しいお人だ

「あなたに仕事料も払えぬほど、円実屋さんの商いが傾いているとは思えませんが――」

「ところがそうなのだ。それがしが〝長屋暮らしも隣近所が賑《にぎ》やかで、なかなか楽しい〟という話を、なにげなくお内儀にしたことがあった。すると、年明けから、客のいないところでは常に、ぞっと暗い顔を続けていて、げっそりと痩《や》せてきた主が、それを耳にしたのだろう、血相を変え、〝わたしたちほどの年齢《とし》になっての長屋暮らしは、どれほど辛いか、あなたにはわかるまい。まして、おつたはすぐに気に病む癖があるのだから〟と詰め寄ってきた。たしかにおつたというお内儀は、優しすぎる気性で、風邪《かぜ》を引きやすいだけではなく、〝どうしているだろう、もしや、行き倒れているのでは〟と、便りのない爺さんをあれこれ案じて、寝込んでしまうこともあった。だが、この時の主の剣幕は、長年連れ添ったお内儀を案じる気持ちとはいえ、只事ではなかった。主が売り手に、仕入れる豆や雑穀の質も値も下げるように言い、〝円実屋さんともあろうものが〟と呆《あき》れられているのを耳にしたこともある。そのうちに、粗悪な品を売るようになったと贔屓《ひいき》客にわかってしまい、見限られて、いずれは、店を畳むことになるだろう」

――〝豆や雑穀だって、米や酒と変わりません。品の良さが勝負です〟というのが口癖

だった円実屋さんが――。しかし、そこまでの困窮となると、考えられるのは――

「円実屋のご主人から、表立ってはいえない儲《もう》け話を聞いたことはありませんか？」

生産地で買い付けられた物は、船で江戸へ運ばれることによって価格が上がる。

こうした買い付けは、大きな船を持つ廻船《かいせん》問屋等の大店《おおだな》の独壇場だったが、これに便乗して、船主と縁故のある仲買人に、仲介料と金子《きんす》を渡して、安く買い付けを頼み、江戸に着いて商品を受け取って、高価格で商いをすれば、驚くほどの利益を得ることができる。

「雇われてまもなく、浮き浮きと蜜柑《みかん》の話をしていた。その頃の主の顔は今とは段違いに明るかった。市中では誰もが有り難がっている蜜柑も、紀州ではそう高いものではないが、遠く運ばれてくる間に、あのように黄金《こがね》色になるのだ、今から、味わうのがたいそう楽しみなことだと――まさか？」

「おそらく」

季蔵が相づちを打ったところへ、

「武藤さん、円実屋さんからの使いの人が来てますすよ」

おき玖の声がして、離れの戸が開いた。

「妻にはここに来ると言ってきた」

呟《つぶや》いた武藤は、

「どうしたのだ？」

近くに住む飴《あめ》屋だと名乗った若い男に問い掛けた。

「太郎兵衛長屋へ行ったら今日は、ここだっていうから。慌てちまったよ。円実屋の旦那さん、正右衛門《しょうえもん》さんが大変なことに。屋根から落ちたのさ。気がついたお内儀さんが医者を呼んだ。何とか命は取り留めたものの、武藤さんにすぐに来てくれって――」

武藤は無言で立ち上がると、離れの戸口へと向かった。

「わたしもご一緒しましょう」

季蔵が後を追う。

「よいのか？」

「あなたがわたしに話したかったのは、この老夫婦を案じているゆえでしょう。話を聞いているうちに、なにやら、わたしも他人《ひと》事とは思えないようになりました」

「すまぬ」

こうして二人は円実屋へと向かった。

円実屋を遠巻きにして、近所の人たちが話をしている。

「円実屋さんも、とんだ災難だったわな」

「あたしゃ、豆や麦の質が落ちたと客に文句を言われるの、昨日も、一昨日《おととい》も聞いちまったよ。あれほど品自慢だった旦那さんだったから、さぞかし、応えたと思うよ」

「自業自得だよ、このところ、安かろう、悪かろうの質の悪いもんばかし、売ろうとしてるんだから」

「ってえことは、屋根落ちはわざとかい？」

「しっ、滅多なことは言うもんじゃない」

「でも、見てた者が言うには、足を滑らせたんじゃなくて、頭から落ちてたって」

「どのみち、可哀想《かわいそう》な成り行きだよ。気の毒に――」

「急ぎ帰ってまいった」

武藤が声を掛けると、

「下働きの浪人さん？」

円実屋の勝手口に、屋根から落ちた正右衛門に、おつたと一緒に付き添っていた、近所の女たちの一人が顔を見せた。

「いかにも」

「ここにはほかに誰もいないんで、あんたを待ってた。あたしたちはこれで帰るから、あんたを頼りにしてるお内儀さんを励ましてやって」

女たちは勝手口から出て行き、武藤と季蔵は、怪我《けが》をした正右衛門が横たわっている部屋で、布団で寝ている正右衛門を挟んで、おつたと向かい合って座った。

手当を受けた正右衛門はまだこんこんと眠っている。

「こちらの豆をよく頂いている、塩梅屋の季蔵です。武藤さんが、てまえの店にいたところへ使いの方がみえて、ご主人のことを聞きました。こんな時は人手が多い方が心強いかと勝手に思い込み、押しかけてきてしまいました」

季蔵は挨拶《あいさつ》をした。

「ご親切にありがとうございます」

ほっと安堵《あんど》を目に滲《にじ》ませたおつたに、

「怪我の方はいかがなものだろう？」

武藤は晒《さら》しで巻かれた正右衛門の頭部を見据えた。

「診《み》たては、養生次第で、足は引きずることはあるが、それ以外は元に近く戻るだろうと――。足からではなく、頭から落ちるのを見たという人もいますが、この怪我は頭からでも、足からでもなく、どっちつかずの落ち方で、それが幸いしたんだと、お医者様はおっしゃってました」

「屋根に雨漏りなどの不都合はなかったはずだが――」

武藤が首をかしげると、

「うちの人がどうして、屋根に上ったかなんて、あたしはどうでもいいんです。誰がどう言おうと、一時《いっとき》、強い風が吹いて、飛ばされて落ちたって、あたしは信じたいんですから」

おつたは涙を見せまいとうつむいて、

「何しろ、優しい夫ですからね、〝俺はどうなってもいいが、おつた、おまえにだけは貧乏はさせたくない〟って、そればかり。店の遣《や》り繰《く》りが苦しいのも、あたしには一言も洩《も》らさないで――。あたしだって、このところ、店の品の質がどんどん落ちてたんですもの、気がつかないはずないじゃないですか。でも、うちの人は何も言いませんでした。あたしが気づいてて、気づかないふりをしてたのが、いけなかったのかもしれません。ただ、どうして、あれほど繁盛していた商いが左前《ひだりまえ》になったのか、見当がつかなくて。もしや、隠し事があって、あたしに知られたくないのかもしれないとも思ったりしたんですが、この年齢で焼きもちはみっともないし——」

「実は大きな隠し事があった」

武藤は正右衛門が関わっていたと思われる、蜜柑の話をした。

「うちの人は、人づきあいもあまりいい方ではありません。そんな大それた商いに手を出す機会が、どこにあったというんでしょう？」

おつたは驚いて目を瞠《みは》った。

「ところで、ここの下働きだった宇三郎さんから、まだ、便りはありませんか？」

季蔵は口を挟んだ。

「こんな時にいてくれたら、どんなに心強いかとは思いますが、今のところ、まだ何も言ってきていません」

「宇三郎さんにお身内は？」

「いつだったか、加賀町に住む甥《おい》っ子が訪ねてきました。小間物屋を商っているということでしたが、店は連れ合いに任せて、当人は昼酒を飲む毎日、とんだ身内を持ったものだと、生真面目《きまじめ》な宇三郎は眉をひそめていました。ほかに身内の話は聞いたことがありません」

――これでしょう?――

季蔵は武藤と目を合わせて、

――いかにも――

互いに頷き合った。

「わたしたちも宇三郎さんを探したいと思います。どうか、様子を教えてください」

季蔵はおつたから、宇三郎の特徴を聞き出した後、武藤と一緒に部屋から出た。

「わたしが加賀町へ行きます。武藤さんはここでお内儀さん、正右衛門さんに付き添っていてください」

「かたじけない」

武藤は深く頭を垂れた。

円実屋を後にした季蔵は、加賀町へと向かい、主が昼から酒に溺《おぼ》れているという小間物屋を探して歩いた。おつたは甥の店の名までは知らされていなかった。

「このところは、年齢の頃は五十歳ほどで小柄な方、肌の色は黒く、ひどい乱杭歯《らんぐいば》だが、半白《はんぱく》の髷《まげ》の手入れは怠《おこた》らない、無口な老人も一緒に住んでいるかもしれません」

何軒もの店に聞き回って、二十軒以上回ったところで、店番をしていた煙草《タバコ》屋の女隠居が、

「それなら、何年か前までは、ご主人がたいそう放蕩《ほうとう》者だった市田《いちだ》屋《や》さんのことでしょう。市田屋さんじゃ、一人で店を切り盛りしていたお内儀さんが、三人もの子供を残して、突

然、逝《い》っちまってからは、ご主人の性根《しょうね》が、がらりと入れ換わったね。商いに精を出しつつ、後添《のちぞ》えも貰わずに、ばあやさんだけを雇って、子供たちを立派に育てているんですよ」

しみじみと感心しつつ洩らした。

三

季蔵は巾着袋《きんちゃく》や財布、煙草入れ等、春らしい色彩で溢《あふ》れている、市田屋の店先に立った。中へと足を踏み入れる。

――ほう――

財布や煙草入れも、男物といえば、縞柄《しまがら》など地味めで落ち着いた色合いのものが常だが、ここで売られているものには、桜や梅、藤等の花柄が縞模様の中にちらほらと配されている。

――他店《よそ》で見たことのないものだ。よほど、仕入れる店主は洒落者《しゃれもの》なのだろう――

藤の流れるような花姿と、大きな縦縞が並んでいる長財布から目を上げた季蔵は、こちらを見ている店主に気がついた。

「お気に召しましたか？」

三十歳ほどの店主は中肉中背、鼻筋が通って顔立ちが整っている美丈夫《びじょうふ》であった。

「うっかり、女物と区別がつかぬほどですね」

「てまえが知り合いに織らせた柄で、江戸広しといえども、てまえどもにしかございません。女の方が買われていくこともございます」

——たしかに、似合いそうだ——

季蔵は以前、目にしたことのある、瑠璃《るり》の晴れ着の薄紫色を思い出した。裾模様《すそもよう》に描かれた藤の花——。

「これをいただきます」

金を払って包みを受け取ったところで、

「実は頼まれてある人を探しています」

「てまえでお役に立てればよいのですが——」

「円実屋で下働きをしていた宇三郎さんに、お心当たりはありませんか？」

「宇三郎」

主の笑顔が曇った。

「もしや、お客様はお上のお手先では？」

「やはり、お知り合いですね」

「宇三郎はてまえの母方の叔父《おじ》です。てまえは宇三郎の甥の柳吉《りゅうきち》でございます」

「だとすると、今はここに？」

季蔵は店の奥へと目を走らせた。

「ええ。叔父のたっての希望で師走《しわす》の頃から、ここで一緒に暮らしております」

──やはり、湯治のための箱根行きは方便だったのだ──

「実は今、円実屋さんご夫婦が大変、酷い思いをされています」

季蔵は、円実屋夫婦に降りかかってきた難儀について話した。

「叔父の主ご夫婦には、充分、同情しますが、それと、叔父が関わりがあるとは思えないのですが──」

柳吉は首をかしげた。

「関わりは、宇三郎さんに話を聞けばわかります」

季蔵は言い切った。

「そいつはあんた、ちょいと無茶すぎるぜ」

血相を変えた柳吉は、放蕩者で喧嘩《けんか》早かった頃の様子である。

「たとえ、あんたがお手先だろうと、因縁《いんねん》だけでしょっ引こうってえのは、あんまし、酷《ひで》えんじゃないかい？　それに、師走からここへ来た叔父さんは、左前になった円実屋が給金を払えなくなったって言ってた。長年働いてきたのに、ねぎらいの言葉もかけてもらえずに、暇を出されたんだって──」

「円実屋さんが左前になったのは、年が明けてからのことです。それに、あちらでは、一日千秋《せんしゅう》の思いで、宇三郎さんが箱根から戻るのを待っているのです」

「俺は叔父さんを信じるよ」

とうとう柳吉は大声を出して、こめかみをびりびりと震わせた。

するとと奥から、

「身内に信じてもらえるのは有り難《が》てえな」

宇三郎と思われる老爺が、青ざめた顔を見せた。

「だが、俺はこの人と、少し話さなきゃ、なんねえんだよ」

「いいのかい？　叔父さん」

宇三郎は黙って頷くと、店の外へ出て、近くにある、新芽の吹きかけたしだれ柳の木の下まで歩いて、出て来る季蔵を待った。

「聞き耳を立ててたもんで、円実屋のご主人ご夫婦の身に起きたことは、残らず、聞かせていただきやしたよ。俺が梟《ふくろう》の爺《じい》との間に入って取り持ち、円実屋の旦那を騙《だま》しちまったってわかった時から、こうなるだろうって、おおよその見当はついてたんでさ。だから、箱根の湯治正月だなんて嘘《うそ》八百を言って、あそこを逃げ出したんだ。とても顔向けできねえでしょうが――」

宇三郎はずずっと洟《はな》を啜《すす》って、

「いい人たちでしたからね、円実屋の旦那もお内儀さんも――。これっきり、もう、会えねえんだと思うと、たまらなかったよ」

「梟の爺とは、どんな男《ひと》なのです？」

季蔵は肝心な問いを発した。

「この年齢だからね、円実屋を早上がりした日は、湯屋の二階で過ごすと決めてた。そんな時、出遭った相手だよ、梟の爺は。俺よか、五歳、いや十歳は上だろうと思われる様子で、誰かれかまわず、儲け話を持ちかけてた。俺みてえなもんには、関わりのねえ相手のはずだったんだが、円実屋の旦那様に、酒を振る舞われた折、〝今までこうしてやって来られたのは、宇三郎、おまえやおつたのおかげだ。わたしたちには継がせる子供もいないし、老いて身体が利かなくなったら、三人して、どこぞで、気楽に隠居三昧《ざんまい》をしたいものだと思っている。家に湯殿《ゆどの》があったら、どんなにいいだろうというのが、湯屋は恥ずかしいと嫌う、おつたの夢だから、湯殿のある広い家が持ちたいものだ。だが、雑穀屋の小さな商いでは叶わない。何とか、貯《たくわ》えを増やす妙案はないものか？〟という話を聞かされててね。それでつい――」

「梟の爺の話に乗ったのですね」

「俺も湯が好きだったもんだから、三人だけの湯殿はいいもんだって思ったんだよ。俺まで分別のねえ夢を見ちまったんだ」

「梟の爺のくわしい様子を教えてください」

季蔵は手控え帳を出した。

「ぼさぼさの白髪頭に角頭巾、眉も真っ白で、頬《ほお》がこぶみたいに垂れ下がっててた。年寄りのせいか、変わり者なのか、一切、身なりはかまわずに、いつも同じ着物で、揃いの被布」

――もしかして、これは――

「それから、持ち歩いていた薄い座布団。これも着物や被布と揃いだった。最後に茶屋の二階で、旦那様から預かった大枚を渡した時、忘れて帰ったんで、追いかけたが間に合わなかった。俺は今でもそいつを持ってるよ」

「今すぐ、その座布団を見せてください」

季蔵は手控え帳をしまうのも、もどかしかった。

宇三郎が持っていた座布団と、升屋金兵衛が遺《のこ》して、盗人二人が隠していた着物と被布の生地は見事に一致した。

「升屋金兵衛が質屋の家業に熱心でなかったのは、桁違《けたちが》いに大きく儲かる企《たくら》みの、美味い汁を吸っていたからだろう。向島の寮で梟の爺に化けて、あちこちの湯屋に出入りして、人なら誰でも持ち合わせている欲心につけ込み、一攫千金《いっかくせんきん》の夢に賭《か》けるよう、言葉巧みに騙して、金を巻き上げていたものと思われる。むろん、彼《か》の地での取引とも無縁で、縁故のある船主一人、知っていたわけではあるまい」

断じた烏谷は、これは悪質な騙《かた》りであると見なして、宇三郎の証言に基づいて、升屋金兵衛が梟の爺に化けている似顔絵を書かせ、市中の各所に貼りだし、被害を被《こうむ》った者に申し出るよう促した。

そして、升屋を店仕舞いさせると、金兵衛が夜な夜な数えてほくそえんでいた金を押さえ、話の辻褄《つじつま》をよくよく確かめて、被害に遭った者と思われる人たちに返した。

一方、宇三郎は、梟の爺、升屋金兵衛から仲介料として貰った金を、真人間になった甥が、必死で切り盛りしている小間物屋の商いに役立てたことを認めた。

「すまねえ、旦那様方との夢のためだけじゃぁなかったんで。女でも男でも使える、この江戸らしい、洒落た小間物を売るというのが、若い頃、思い切り遊びにうつつを抜かしたおかげで、粋《いき》な絵心を身につけた柳吉の夢だった。女房を亡くした後、人が変わったかのように頑張ってる、あいつの後押しをして、こっちの夢も叶えてやりたくて――」

これを季蔵から聞いた烏谷は、

「今、何か申したか？　宇三郎とやらは、升屋金兵衛が湯に落ちて、湯に白髪の眉が浮いているのを見ただけであろう？　化けていると見破ったのはお手柄だったが、今になって、埒《らち》もないことを思い出すのは、箱根の湯治場で正月を過ごしたせいで、いささか、贅沢惚《ぜいたくぼ》けしてしまったのよ」

取り合わず、この件は不問に付す腹づもりを示した。

そして、一時、休業の札が下がっていた円実屋も、その恩恵を得て商いを再開し、再び、極上の豆や雑穀が店内に並べられるようになった。

「お内儀が主の快気祝いをしたいと申しておる。ついては、このたびの一件の恩人である季蔵殿にも、是非、一献《いっこん》受けてほしいとのことだ」

武藤が伝えてきて、

「おめでたいことなので、お言葉に甘えることにいたします」

季蔵は微笑《ほほえ》んで腰を上げた。

「まあ、まあ、ほんとうによくいらしてくださいました」

迎えたおつたの頬は幾分、膨《ふく》らみを増して若返っている。

「ささやかに一品だけ、うちらしい肴《さかな》をご用意いたしました」

おつたが用意してくれたのは、五色《ごしき》豆であった。

作り方は、青大豆《だいず》、黒大豆、白いんげん豆、大豆、小豆《あずき》の五種の豆を、それぞれの豆の個性を生かすべく、乾燥豆の状態から時間をかけて戻し、別々に煮上げて、崩した木綿《もめん》豆腐で和《あ》え、砂糖で調味、きりっとした白酢で豆を包み込むように仕上げる。

膳を調えたところで、

「質のよい豆が、この料理の真骨頂なのは申すまでもございません」

今日からはもう病人ではないのだからと、紋付き袴姿でけじめをつけた正右衛門が、目を潤《うる》ませながら説明した。

「あなたが生きていてくれるだけで、あたしは幸せ。たとえ、これから、長屋暮らしになったって、あなたさえいてくれるなら、あたしは平気。そもそも、若かった頃はそうだったんですもの、年齢を取ったって同じはずでしょ。ですから、あたしを置いて逝こうだなんていうのは、金輪際、なしにしてくださいよ」

正右衛門に笑いかけるおつたの目にも涙が光った。

「膳が一人分、多いな」

洩らした武藤の後ろで障子が開くと、

「宇三郎」

「やっと帰ってきてくれたのか」

「あたし、今日こそ、戻ってくるような気がしてたんですよ」

「よかった、よかった」

円実屋夫婦は満面の笑みで互いを見合わせ、手を取り合って喜んだ。

宇三郎は主夫婦との再会を喜びながら、季蔵に黙礼した。

――いろいろとお世話になりました――

円実屋の下働きは再び宇三郎が務めることとなり、

「これで晴れてお役ご免となった」

武藤は安堵の大きなため息を洩らした。

四

雛祭《ひなまつり》まであと、三日と迫った夕刻、暮れ六ツの鐘が鳴り終わると、前触れもなく、烏谷椋十郎《りょうじゅうろう》が塩梅屋を訪れた。

「来る途中、草地につくしを見つけてな、春だ、春だとうれしくなって、つい摘み過ぎてしまった」

烏谷が左右の袖《たもと》を振ると、つくしがぱらぱらとこぼれ落ちた。

「これで酒が飲みたい」

「わかりました」

季蔵は早速、つくしの鞘《はかま》を取りはじめたが、

――お奉行が童女のような振る舞いをなさって、これをここへ運んできたのは、さらなる魂胆があるはずだ――

知らずと緊張が全身を駆け抜けていた。

「おいらが手伝うよ」

つくしの鞘取りは意外に手間がかかる。

「しばらくお待ちください」

おき玖が烏谷を離れへと案内した。

鞘を取るには、鞘の下の部分を指で押さえ、もう一方の手の指で鞘の付け根に爪《つめ》を立て、鞘を縦に裂く。

次に、つくしをゆっくり回しながら、鞘をもう一方の手の指先で少しずつ剝《む》いていく。

「つくしときたら、様子のいい小坊主みてえに、すんなり可愛《かわい》いのに、こんなに灰汁《あく》が酷えんだからな」

すでに季蔵と三吉の指には、茶褐色の灰汁が染みついている。

こうして、つくしの下拵《したごしら》えができたところで、盥《たらい》で洗って土を丁寧に落とし、大鍋に茹《ゆ》でるための湯を準備する。

その折、季蔵は茹でずに、水洗いしたままのつくしを何本か残した。

「お奉行様のお好きな天麩羅《てんぷら》用だ」

沸騰した鍋につくしを入れると、湯につくしの頭の胞子が溶け込んで、ぱっと綺麗《きれい》な緑色に変わった。

「鍋の中まで春だね」

見惚《みと》れている三吉に、

「三百まで数えないうちに笊《ざる》に取るんだ、覚えておけ」

季蔵の鋭い声が飛んだ。

「よし、このぐらいだろう」

白っぽい茎が褐色に変わりつつも、少々、白さが残り、しんなりしたところで、季蔵は茹で上がったつくしを、笊にとって水切りをした。

洗っただけのつくしは天麩羅に、茹でたものは肴三品に作った。

重石《おもし》をかけて水気を取り、裏漉《うらご》しした木綿豆腐を、すり胡麻《ごま》と砂糖、塩で調味し、茹でたつくしと合わせると、つくしの白和えが出来上がる。

また、熱湯をかけて油抜きした油揚げを、箸《はし》で摘《つま》みやすい長さに切ったつくしと、長さを揃えて細切りにし、出汁《だし》、梅風味の煎《い》り酒、砂糖で仕上げたのが、つくしと油揚げの煮付けである。

味噌《みそ》に溶き芥子《からし》を加え、味醂《みりん》風味の煎り酒で練り混ぜて、つくしと和えると、つくしの芥子味噌和えとなる。

大好物の天麩羅をひょいひょいと摘んで、あっという間に平らげてしまった烏谷は、三品各々を試して、

「どれも美味いが、わしは芥子味噌が好きだ。味噌の辛さに、つくしの苦みが負けていないのがよい。何だ？　もう、これきりなのか——」

芥子味噌和えに執心した。

「お話も、もうこれきりでございますか？」

季蔵は烏谷の真意を引きだそうとした。

「見破られていたのか」

にやりと笑った相手に、

「それとて、おわかりのはずです」

「まあ、長いつきあいだからな」

「お聞かせください」

小便泥棒と関わっていた升屋金兵衛殺しは、下手人を捕らえることができたが、比見丹《たん》九《きゅう》の家で起きた惨殺事件は、依然として、未解決のままである。

——お叱《しか》りであろう——

覚悟こそしていたが、一抹《いちまつ》の後ろめたさが心をよぎるのは、惨殺の現場に落ちていた房《ふさ》楊枝《ようじ》と菓子楊枝の作り手が房楊枝職人の恵太《けいた》で、突然、姿を消してしまったことを、烏谷に告げていないゆえであった。

その烏谷は、

「一つ、そちに頼みたいことができてな」

予想に反した猫撫《ねこな》で声であった。

――これはまた、お奉行らしくない――

烏谷の目は酒の酔いでとろんと温まっている。

「そちも料理人ならば、宴《うたげ》に使う道具の名品を目にしたくはないか？」

「それはもう、機会があれば――」

「水道橋にある本田《ほんだ》様のお屋敷では、毎月宴にちなむ骨董が披露される。今月は雛にちなんで、雛祭の道具がお披露目《ひろめ》される。招かれたので出向くことにした。そちも一緒にどうか？」

「ありがとうございます。喜んで。そのような催《もよお》しをなされるとあっては、たいそうな御《ご》大身《たいしん》なのでございましょうか――」

水道橋の本田様に、季蔵は聞き覚えはなかった。

「水道橋の本田家は、ご先祖が関ヶ原で手柄を立てた大身の旗本だったが、開府後、ほどなく、自ら望んで無役となり、以来、二百年以上、そのまま続いてきた」

「なにゆえ、自ら望んで無役となられたのです？」

「開府当時は今ほど、将軍家の守りも堅固ではなく、始終、謀反《むほん》の恐れが囁《ささや》かれていた。中には、相手を陥《おとし》れるための根も葉もない噂《うわさ》が一人歩きしてしまうこともあったろう。今となっては真偽のほどはわからぬが、当時の本田家四千石が、どこぞの大名家と通じているると疑われた。この時、本田家の初代は縁故のある、御重臣を通じて、お役目を返上して沙汰《さた》を待つだけではなく、宴にちなむ骨董のすべてを将軍家に差し出した。このままでは、お家断絶となることを危惧《きぐ》したのだろう。そこまでしたので、本田家は何とか、断絶にならずに事なきを得た」

――武家にあって、一家郎党が路頭に迷う、お家断絶ほど辛いものはない――

烏谷は先を続けた。

「だが、これだけではすまなかった。本田家は、東奔西走《とうほんせいそう》して、宴にちなむ骨董を集めるという、表立たないお役目を申し渡されたのだ。この当時、本田家の蔵には骨董もさることながら、金子が唸《うな》っているという噂があったのだ。歳月と共に、本田家の蔵には宴にちなむ骨董が増え続けた。本田家の金子の貯えは代を重ねるごとに減っているはずだ。もとより、それら骨董の数々はお上のものであって、本田家の所有ではないから、どんなに値が上がっても、売ることなどできはしないゆえな」

「もしや、月一回のお披露目もお上の命《めい》なのでは？」

「そうだ。本来無役であるはずの本田家は、今や、宴お道具役と陰で呼ばれている。そして、宴お道具役が将軍家のお宝をこっそり、売ったりしないよう、これを見張るお役目が、勘定所にできて久しい。その者たちは、月に一度、必ず、お披露目お手伝いと称して、本田家で起居して蔵を調べ尽くす。本田家が負っている、この者たちの世話にかかる費用とて馬鹿にならぬだろう」

そこで深々とため息をついた烏谷は、

「そうだった、そちへの頼み事だったな。これぞという、宴関わりの見事な道具を観《み》る会なので、もちろん、そこそこの拝見料は用意するが、その他に、これぞという料理を携《たずさ》えて行きたい。作ってくれぬか」

にこにこと無邪気に笑った。

「そうは仰せになられましても――」

季蔵の方はいきなり、心《しん》の臓を殴りつけられたような気がした。

――収集された道具や器の名品にそぐわない料理など、恥ずかしくて差し出すことなどできはしないし――

一瞬、緊張と相俟《あいま》って、気持ちがぐんと重く沈んだ季蔵だったが、

「お披露目は雛祭に関わってのものですね」

念を押したとたん、ふっと肩の力が抜けた。

――将軍家のお道具を拝するとあって、埒もない見栄《みえ》を張りかけていたようだ――

「この時季ならば、つくしの佃煮《つくだに》はいかがでしょう？　箱に詰めて持参できますし、いい肴になるだけではなく、これを飯に混ぜ込めば、つくし飯の春を楽しんでいただけます」

「それはよい、よい」

烏谷は大きく首肯《しゅこう》した。

「だが、佃煮は煮締まるから、必要なつくしの量は半端ではないぞ。わしの食う分も一箱欲しいものだしな。あれで酒の後、茶漬けを食うと、ほどよく酒が抜ける。ただし、わしが摘んだ場所は、もうあと、スギナばかりだった——。大量につくしばかり探すのは大変そうだ」

ハリネズミのように、つんつんと青い新芽を吹いて伸ばす、スギナの胞子茎がつくしである。つくしは、多数のスギナの間を縫ってぽつぽつと生えている。

「何とかいたします」

請け負った季蔵は、翌朝、太郎兵衛長屋の武藤を訪ねた。

事情を聞いた武藤は、

「ちょうどいいところへ来られた。つくしなら、そろそろ上質なのが生えてくる頃だと思い、ご近所に聞き回っていたところだった」

笑顔を向け、

「それでは、まいろうか」

太郎兵衛長屋の住人たちが、密《ひそ》かに、つくし野と呼んでいる場所へと誘ってくれた。

五

つくし野と呼ばれているだけあって、その場所は一面のスギナで埋まっていた。

腰を屈め、ゆっくりと進みながら、頭がかさかさになっていない、太くて、長いつくしを探す。頭が乾きすぎているつくしは、育ちすぎで、茹でても固いばかりである。細すぎるつくしは鞘を取る時に折れやすいのでこれも摘み取らない。

季蔵と武藤は一刻（約二時間）ほどかけて、各々の背負い籠《かご》をつくしでいっぱいに満たした。

「助けられました」

礼を言う季蔵に、

「何のこれしき、助けたことになどならぬ。こちらは一度ならず、二度までも助けられておるのだ」

武藤は首を横に振った。

二人して塩梅屋に持ち帰ると、

「わぁ、凄《すご》い。こんなつくしの大漁、初めて見たわ」

おき玖が歓声をあげ、総手で鞘取りがされた後、佃煮作りに取りかかった。

茹で上がったつくしを油を垂らした鉄鍋で炒《いた》め、醤油と味醂で味付けした後、梅風味と鰹《かつお》風味、二種の煎り酒で味を調えつつ、煮込んで、二百まで数える。

「今日の昼の賄いは早速、つくし飯だわね」

早速、飯が炊かれて、つくしの佃煮が混ぜ込まれた。

「梅の香りとつくしの苦み、どっちも仄《ほの》かで風流だわ」

箸を動かしつつ、おき玖はうっとりと目を閉じた。

雛祭の当日、鳥谷が立ち寄り、季蔵は準備した佃煮を手にして、宴お道具役と称されている、水道橋の本田家へと向かった。

途中、神田川を渡ったところで、

「そういえば、あの事件はまだ、片付いておらなんだな」

鳥谷が眉を寄せた。

「力及ばず、申しわけございません」

「そろそろ、片を付けなくてはお上のご威光に関わる。頼むぞ」

「わかりました」

本田家は初代が大身なだけあって、その屋敷は広く、門構えも立派である。枯れ山水《さんすい》風の庭も手入れが行き届いていて、ぽちゃんと鯉《こい》の跳ねる音さえ典雅に耳に響いた。

――これだけの広いお屋敷をここまでに保っておくのは、さぞかし、骨の折れることだろう。それに――

門の内側には、宴お道具役付きと思われる、勘定方の武士たちが、お披露目されているお宝を警護するためにずらりと並んでいた。

「北町のからすが来たと主膳《しゅぜん》殿にお伝えいただきたい」

鳥谷は出迎えた本田家の若党に告げた。

すると、ほどなく、本田家の用人が姿を現し、

「どうぞ、こちらへ」

と、案内された先に、白髪のやや頼りなくなった髪を、何とか髷に結い上げている主、本田主膳が腰を折りながら姿を見せた。

主膳は笑みをこぼして、

「お奉行様、このところ、おいでにならないので寂しゅうございましたぞ」

「そのように言われれば、世辞とわかっていてもうれしいものよな」

季蔵は佃煮の入った風呂敷包みを手にしたまま、軽口を叩き合いつつ、先に立って歩く二人の後に従った。

「さあ、ご覧ください。たしか、雛祭のお宝をご覧になるのは、初めてでございましたでしょう？」

「子は女子《おなご》も含めておらぬゆえな」

二百畳もの広さに、雛祭の宴の品が飾られていた。

ぱっと目につくのは雛人形で、典型的な古今《こきん》雛の銘品であった。他にも、金箔《きんぱく》をふんだんに使った松竹梅や、白孔雀《くじゃく》、花見、雛祭の様子が描かれた屏風《びょうぶ》の数々が並んでいる。

「見事なものだ。極楽もきっとこのような美しさであろう。今日はよい目の保養になる」

そこで烏谷は素早く、懐の金包みを相手の袖《そで》に滑り込ませると、季蔵に向かって顎《あご》をしゃくって、

「こちらも多少、春の食い極楽を持参した」

名乗った季蔵はあわてて、風呂敷をといて、

「つくしの佃煮にございます」

恭《うやうや》しく手渡した。

「これはこれは――」

主膳は佃煮の折を鼻に近づけて、

「なるほど、ここにも雛祭がございますな」

目尻に皺《しわ》を寄せたところで、

「殿、お客様がお見えです」

用人が告げると、

「それではどうか、ごゆっくり――」

その場を離れた。

残された二人はしばし、屏風絵を見続けていた。

「東山や吉野の花見や歌会が描かれている上、身なりから察して、これは戦《いく》さに明け暮れた世の頃のものです。ここまでのものを集めて来られたとは――」

驚嘆した季蔵に、

「まあ、今のうちに、せいぜい感心しておくことだ。料理を容《い》れる物もあるぞ」

烏谷は朱塗りの地に、金銀蒔絵《まきえ》で水仙や桃の花が描かれている、飯器と専用の杓子《しゃくし》、膳を指し示した。

これには、椿《つばき》や百合《ゆり》、葦《あし》に鶴《つる》、筍《たけのこ》に蜻蛉《とんぼ》、波千鳥に帆掛け船等をあしらった、見事な朱塗り細工の小皿が添えられている。

ほかにも、鉄で出来ていながら、繊細で瀟洒《しょうしゃ》な酒器には、曰《いわ》く言い難い趣《おもむき》があり、金箔に鴛鴦《おしどり》や貝、亀といった、縁起物の螺鈿《らでん》細工が施《ほどこ》されている盃台や盃は、華やかさと、歳月を経た、押しも押されもせぬ重厚さを醸《かも》し出していた。

これほどではなかったが、長崎奉行を務めた主家の鷲尾《わしお》家にも名品と呼ばれるものがあったことを思い出した季蔵は、つかのま、瑠璃に見せてやりたいと思った。

美しい雛祭の道具を目にすれば、昔を思い出して、正気に戻るのではないかと思ったのである。だが、すぐに、これは酷な想いだったと気づいて、

――駄目だ。思い出したくない昔を封じるために、瑠璃はあのようになってしまったのだから――

心の中に浮かんでいた、女雛《めびな》によく似た白い顔の瑠璃に詫《わ》びた。

「見惚れるのもよいが、ほら、おいでなすったぞ」

烏谷に囁かれて、はっと我に返った季蔵は、四十歳を幾つか出た年頃の町人が廊下に座って、烏谷に深々と頭を垂れるのを見た。

「骨董屋の柏屋音右衛門《かしわやおとえもん》にございます。どうか、お見知りおきください」

目鼻口がこれほど大きくなければ、美男の部類に入るかもしれない音右衛門は、てらてらとよく光る額の持ち主であった。

「本田主膳の妻、奈津実《なつみ》でございます」

音右衛門の後ろには、三十歳を超えた大年増《おおどしま》ながら、妖艶《ようえん》な美女が控えていた。

全身から色香がじんわりとにじみ出ていて、枯れかけているスキのような夫、主膳とは似つかわしくなかった。ぱっと咲いた大輪の牡丹《ぼたん》のようなあでやかさである。

「奈津実殿か、いつ見てもお美しい。ここへまいる目道楽はお宝だけではないの」

「まあ、嫌ですわ、お奉行様ったら、お上手ばかり」

ほんの一瞬、奈津実は烏谷を睨《にら》む真似《まね》をした。その仕種《しぐさ》一つにしても、充分、男心をくすぐる。

「そちが、端渓洞《たんけいどう》から替わったという骨董屋なのだな」

ここでやっと、烏谷は音右衛門の目を見た。

「左様でございます」

音右衛門は、はじめて顔を上げた。

「端渓洞とこの本田の家、宴お道具役は長いつきあいであった。端渓洞の主は、律儀で温厚な奴で、この家にはいろいろと便宜もはかり、身内にも等しかった。よく、そこへずかずかと踏み込めたものだな」

「そのおっしゃりようは――」

苦い顔になった音右衛門に、

「けなしているのではない。褒めているのだ。そろそろ、孫のできる年頃の端渓洞は、そちのような男盛りでもなく、骨董一筋の真面目な奴で、ほかにこれという芸はなかった。商いはくるくると回るつむじ風のようなものだ。追い風のように吹いているときに、真面目にやっているだけでは、向かい風は防げず、さらなる財は築けまい」

「恐れ入りました。わたくしはただ、本田様のお役に立ちたい一心でございまして——」

また頭を垂れた。

「これをご覧くださいませ」

奈津実が貝合わせに使われていた、合貝の入った六角柱の貝桶を手にした。

「その昔のお公家《くげ》様やお姫様、花鳥、調度、宝物等が描かれている贅沢な貝桶は、今も沢山作られていますが、これは太閤《たいこう》秀吉様が作らせた逸品なのです。柏屋さんのお力添えがなければ、当家が集めることなどできはしませんでした」

奈津実は烏谷に向けてやや眉を上げた。

「そもそも、ここへ集める骨董は将軍家のお品となるゆえ、間に入る骨董屋はただ同然に安くする。さぞかし、柏屋も勉強したことだろう」

烏谷はふふふと含み笑いを洩らしたが、もとより、その目は笑っていない。

「柏屋さんは、端渓洞さんと違って、ご親切にも、この品をわたくしどもに献上してくださったのです」

誘いに乗った奈津実が誇らしそうに言うと、

「奥方様、そのお話はここでは——」

音右衛門は形だけ止めた。

「その話、もっとくわしく聞きたいものだ」

烏谷は再び顔を上げた音右衛門を見据えた。

六

「老舗《しにせ》ではないわたくしどもにとって、この本田様へのお出入りは、常々の夢のまた、夢でございました。初代様から長きにわたって、私心なく、将軍様に忠誠を尽くされている本田様に、格別の敬意を抱いていたからでございます。わたくしどもも、本田様同様、将軍様に私心なくと思いついて、お集めになりたい、これぞという骨董を、献上させていただくことにいたしました。本田様への献上は、将軍様への忠誠と変わりません」

言いきった音右衛門は、唇の端にわずかに微笑みを浮かべた。

——この男はたいした野心家だ——

季蔵は見逃さなかった。

「ほう、それはまた、感心なことだ」

烏谷も微笑み返したが、変わらず、目に宿っている光は鋭かった。

「このような由緒ある品々に取り囲まれておれば、一時《いっとき》、いにしえに心が遊んで、日頃のうさを忘れることもできよう。いや、これは逆だな。心が和《なご》んだ挙げ句、日頃、見落としている大事に気づかせてくれるやもしれぬ。そちはどうだ？」

「仰せの通り、ここは品々ばかりではなく、四季の庭も見事で、知らずと、商いの案を練っていることもございます」

音右衛門は烏谷に探るような目を向けた。

「なるほど。ならば、わしもせいぜい、御老中様始め、お偉方をお誘いして、お忍びでここへ足を運んで頂くとするか。さぞかし、皆、この屋敷の風流に心癒《いや》されることだろう」

烏谷の目がぎらりとさらに強く光った。

「さすが、お奉行様、大変、結構なお考えと、この柏屋感服いたしました」

応えるように音右衛門はぎらつかせた両目を瞠ると、

「それではごゆっくり。今後ともよろしくお願い申し上げます」

再び、恭しく頭を下げると、この場を辞した。

本田家からの帰り道、

「何と柏屋という男、あの本田の屋敷を、高級茶屋に変えようとしておる。本田の家の苦しい内情に付け込んだのだ。これには、見目形のいい、女盛りの奥方も一役買っておる」

烏谷は言い切った。

「本田様はお辛いお気持ちでしょう」

「茶屋業を兼ねるのは、窮迫が極まれば、致し方ないと諦められるにしても、乗り込んできた柏屋が、妻女をいいようにするのは、何ともたまらぬことだろう」

「本田様に御嫡男は？」

「最初に娶《めと》った妻に子ができなかったせいで、今の妻女が産んだ、年子の長男と次男の二人だけだ。ただし、年齢はまだ、十歳ほどのはず」

「奥方様としては、子供らのためにも、本田家を盛りたてたい一心なのではないかと――」

「もちろん、それもあるだろうが、見たであろう？　あの二人の様子を。あれは性のよく合った男女のものだ。あそこまで合っていれば、そのうち、三人目の子が生まれるやもしれぬな。ようは、金にも色にも目のない柏屋の後ろ盾は、揺るぎないものだということだ。本田家は安泰《あんたい》。気がついている主膳は、鬱憤《うっぷん》を抱えながら、見て見ぬふりをしているのだ」

――人の気持ちよりも、お家存続が大事の武家とは悲しいものだ――

元武士だった季蔵は複雑な思いだった。

烏谷と別れた季蔵が、塩梅屋に帰り着くと、

「邪魔してるよ」

岡っ引きの松次が甘酒の湯呑みを抱えて待っていた。

「さっき、番屋に届け物があったんだよ」

松次は懐に大事にしまっていた文を出した。

「これさ」

「拝見してよろしいのですか？」

「もちろんだよ、読んでみてくれ」

文の中身は以下であった。

しら梅に明《あく》る夜ばかりとなりにけり

比見丹九

「ちょいとわかんねえんだよ」

松次は頭を搔《か》いて、

「落ち噺《ばなし》は好きなんだが、四角四面の風流はさっぱりで——」

これは四、五十年前の天明期（一七八一～一七八九）の俳人、与謝蕪村《よさぶそん》の有名な辞世の句であった。

その旨を伝えると、

「そうだったのか」

手を打って、金壺眼《かなつぼまなこ》をきらきらさせると、

「比見の奴は罪を認めて、自害しようとしてるってことだ」

「考えられないことではないと思います。ところで、これを届けてきたのは？」

「子供だよ、二日ほど前に、編み笠を被《かぶ》った男に、駄賃を貰って頼まれたってえ話だ。お武家のように見えたってさ。なに、比見も元は侍だ。逃げるために、常の町人の形《なり》を止《や》め、侍を装ったとしてもおかしくねえ」

「ただし、これで、死んだと見せかけようとしているとも言えませんか？」

「骸《むくろ》が出ない限り、信じちゃなんねえってことかい？」

季蔵が頷くと、

「そうさな」

松次は急にむっつり黙り込んでしまった。

比見丹九の骸が、大川から上がったのは、それから三日後のことだった。

松次が報《しら》せてきて、すぐ駆けつけてみると、すでに何日も水に浸《つ》かっていた骸は、白くふやけて膨れあがっている。

「袈裟懸《けさが》けに斬《き》られた刀傷があります」

季蔵は細く長い背中の筋に目を凝らした。

「ってえことは、こいつは斬られた挙げ句、川に落ちて死んだってことかい」

「そうとしか思えません」

「この様子じゃ、五日前、蕪村とやらの句を子供に持たせたのは、比見じゃねえな。比見はとっくに川の中で死んでた」

「罪を認めて、すでにどこかで自害したと思わせるために、子供を遣って、わざわざ届けさせたのでしょう」

「そいつが下手人だ」

「間違いありません」

「だが、比見丹九まで殺した奴の手掛かりは何もねえぜ」

「それだけです」

　季蔵に言われて、松次は懐から比見丹九の署名がある、蕪村の辞世の句の書かれた文を取り出した。

「ただね、妙なことに、こいつは、間違いなく比見の字なんだ。比見の草紙を残らず買ってて、殺された女房と一緒になるまでは、親しい間柄だった料理屋の女将が認めた。比見から来た文を見せて貰ったが、たしかに同じ手跡だった」

「なるほど――」

大きく頷いた季蔵は、

「その料理屋の名を教えてください」

「芭蕉屋《ばしょうや》という名の、深川にある小料理屋だよ。女将はなかなかの物知り、話上手で、客筋がいいんで有名だ」

この後、深川へと急いだ季蔵が、藍の地を白く芭蕉屋と染め抜いた暖簾《のれん》を潜《くぐ》ると、

「あら、うち、まだなんですよ」

三十歳を過ぎた年増が、ぱっちりと黒目がちながら、涼やかな目を瞠った。

本田家の奥方のような濃厚な色香ではなく、持ち前の賢《かしこ》さに加えて、ふわりと通り過ぎ

る春風のような、人柄のほどよい温かさが滲《にじ》み出ている。

「客で来たのではないのです」

名乗った季蔵は松次の名も出して、是非とも、比見夫婦と版元の田鶴屋《たづや》を惨殺した下手人を捕らえたいと告げた。

「駒《こま》です」

お駒はぽつりと自分の名を呟《つぶや》いて、

「比見さん、両親《ふたおや》を亡くして、辛い想いをしてきたさをりさんを幸せにするのが、自分の役目に思えてならない、だから、許してくれって言って、あたしと別れたんです。だから、どうしたって、あの二人には幸せになってもらいたかった。なのに——。あたし、悔しいんです。こんなことになるんなら、別れてなんてやらなきゃよかったと思ったりしてます。でも、今は、あなたが言う通り、憎い下手人がお縄になって、獄門にでもならなければ、二人の無念は晴れないでしょうね。ですから、あたしでお役に立つことなら、どんなことでも——」

唇をきつく噛《か》みしめた。

「これに思い当たるふしはありませんか？」

季蔵は蕪村の句を出して見せた。

「松次親分から見せられました。比見丹九の手跡というほかに何か？」

「ここの店の名は、俳人松尾芭蕉にちなんだものでしょう？　俳句がお好きで？」

「ええ」

「ならば、俳人として、この句をどう思います？」

季蔵はお駒の言葉を待った。

七

「お見通しのように、うちの屋号は俳句が好きだったおとっつぁんが、俳句の神様と言われている、松尾芭蕉にあやかって付けたものです。おとっつぁんの頃から、うちには日を決めて、俳句好きのお客さんが集まり、酒や肴を召し上がってくださるんで、あたし一人になっても、何とか、暮らしていくことができてるんです」

「比見さんも俳句が好きだった――」

「それはもう。あの人の草紙は旅の話が多いですしね」

「そして、芭蕉を敬《うやま》っていた――」

「芭蕉といえば〝おくのほそ道〟、旅の句が有名ですから」

「蕪村のことは、どのように考えていたのでしょうか？」

季蔵は蕪村の辞世の句に目を落とした。

江戸初期の俳聖松尾芭蕉は、侘《わ》びの心情を風景に託して詠《よ》み、江戸中期に現れた、画家でもあった与謝蕪村の句風は、絵画のようにひたすら写実的であった。

「ようは風景と心情の分量の違いだけだって言ってました。芭蕉の句にだって、〝五月雨《さみだれ》をあつめて早し最上《もがみ》川〟なんてのがあって、蕪村の〝菜の花や月は東に日は西に〟っていう、風景だけのものがあるんだから、二人の句風はがらりと違うわけじゃないし、優劣もつけられないって――」

「句風の違いを言い募《つの》って、勝ち負けをつけていたお客さんもいたのですね」

「水道橋の本田のお殿様が熱心でした」

――水道橋の本田様――

　季蔵は耳を疑った。

「本田様の芭蕉への入れ込み方は大変なもので、おいでになると酔いも手伝ってか、必ず、蕪村など芭蕉の足下《あしもと》にも及ばないと、長々としたお話をされるんです。毎回、むずかしいお話でして、芭蕉の句は利休の侘び心にも通じているそうで――。もちろん、皆さん、内心、飽き飽きしておいでなのですが、顔にも口にも出されません。何しろ、本田様は宴お道具役でいらっしゃいますから――」

　そこでお駒は壁に掛かっていた、紅梅の下での蹴《け》鞠《まり》の様子が描かれている、一幅の掛け軸に目を遣《や》って、

「これは本田様が飲み代《しろ》代わりにと置いていかれたものです」

「京より伝わった、古きゆかしきものでしょうか？」

「本田様はそう自慢されていましたが、比見さんは、〝紅梅の色に辰砂《しんしゃ》（水銀朱、鮮血色をしている岩絵具）が使われていないから、これは、由緒正しき家に伝わってきた銘品でな

いだけではなく――〃、その先はたとえ、あたしが相手でも続けませんでした」

「比見さんが殺されたとわかって、これはもう、辞世の句ではあり得ません。比見さんは蕪村の辞世の句になにゆえ、自分の名を添え書きしているのでしょうか？　あなたなら、きっと分かるはずです」

頷いたお駒は、

「本田様に劣らず、比見さんは芭蕉好きでしたが、常から、〃辞世の句だけは蕪村の方が綺麗でいい。花を思い浮かべて死期を待つのは悪くない〃と言っていて、辞世の句である、〃旅に病《やん》で夢は枯野をかけ廻《めぐ》る〃が最高傑作だと芭蕉をまつりあげる、本田様の向こうを張っておいででした」

「蕪村のこの句は、本田様への挑戦状のようなものだったんですね」

「〃――明《あく》る夜ばかりとなりにけり――〃に、蕪村の死を見つめる静かな心が描かれている、これはもう、写実一辺倒でも、芭蕉の侘び心とも異なる、清《す》みきって美しい、独特の境地なのだと主張なさっていました」

「この文は下手人が比見さんは自害したと思わせるために、子供を遣って届けさせたものです。心当たりはありませんか？」

ずばりと切り込んだ季蔵に、

「まさか――でも――」

お駒は本田主膳が芭蕉、蕪村各々の辞世の句について、優劣をつけようとして、その場

にいた者たちに紙に書かせた話をして、

「皆さん、本田様に遠慮して、〝旅に病んで――〟を書きましたが、比見さんだけは蕪村を――。松次親分に見せられた時は、気のせいだろうって思いましたけど、その紙の残り香、いつも、本田様が纏《まと》い付けているのと同じ匂いです」

きっぱりと言い切った。

礼を言ってお駒の店を出た季蔵は、使いの者を烏谷まで走らせた。

急場の時の落ち合い場所にしている、水茶屋の二階で向かい合うと、

「比見丹九殺しの目途《めど》がつきました」

蕪村の辞世の句を、比見の遺書であるかのように工作した下手人の見当を話した。

「比見の骸が上がって、斬られた後、川に落ちて死んだことは聞いている。たしかに比見は自害ではあるまい。家にいた田鶴屋や女房を殺した奴の手によるものだろう。だが、そやつが、女の話だけで、本田主膳だと決めつけるのはいささか早計だ。町方は武家に不介入が御定法だが、それだけで申しているのではないぞ」

そう言いつつも、烏谷は額にどっと、吹き出た冷や汗を手拭《てぬぐ》いで拭うと、

「これは厄介だ」

呟いて、

「本田が比見夫婦のみならず、版元までも含む者たちを殺す理由が、これと言ってないではないか。芭蕉か、蕪村かの闘いなら、女房や田鶴屋まで刃《やいば》にかけずともよかろう」

ぎょろりと大きく目を剝いて季蔵を見据えた。

「それでは、これだけでは、本田様への詮議《せんぎ》はできないとおっしゃるのですね」

念を押した季蔵は、常になく苛立《いらだ》った声をあげた。

――本田様は己の犯した罪を永遠に葬《ほうむ》ろうとして、比見さんの辞世の句をでっちあげた。だとすると、次には、何らかの関わりがあって姿を消している、房楊枝職人の恵太さんの身にも――

「お上が下手人を見逃したせいで、この先、犠牲になる者が出てもいいと？」

「そうだ」

言い切った烏谷は、

「そんな者がおるのか？　わしは聞いてはおらぬぞ」

よく動く目をぐるっと廻した。

「わかりました」

この後、時を置いて、二人は別々に茶屋を出た。

季蔵が店に戻ったのは八ツ時（午後二時頃）近くである。

「三吉は？」

季蔵は床几《しょうぎ》の上に載せられている包み紙に目を留めた。

萩《はぎ》の群れ咲く庭を背景に、長屋はぎと書かれている包み紙は、こんもりと大きく丸く盛り上がっている。

「雛祭の春菓子箱、天松堂《てんしょうどう》さんがたいそう気に入って、面目が施せたお小夜《さよ》ちゃんたち、とっても、喜んでくれたんですって。よかったわ。これはお礼の印の長屋はぎ」

「さぞかし、三吉もうれしかったことでしょう」

「天松堂さんのこと、季蔵さんの言った通りだったのよ。あたしも三吉ちゃんも、下衆《げす》の勘繰りだったわけ。恥ずかしいわ。さっ、お茶でも淹れましょうか」

おき玖は竈《かまど》に薬罐をかけた。

厨《くりや》へ入った季蔵は、

「三吉、三吉」

三吉を探して、勝手口を抜け、裏へ出ようとした。

「三吉ちゃんは今、二階のあたしのところなのよ」

おき玖が後ろから声を掛けた。

「三吉が病にでも？」

「病といえば、病ではあるんだけど――」

おき玖はふっと切なげなため息をついて、

「一句できたわ。片思いそれと悟るも恋のうち。お小夜ちゃんのところから戻ってきた三吉ちゃん、見るも無惨にしょげちゃってて、あれほど長屋はぎが好きだったのに、お礼の品も放り出したっきりで、お腹が痛いの一点張り。あの子に食い気がなくなるなんて大変――。だから、上に床《とこ》を取って寝かせたの。何も話したがらないけど、何となく、ぴんときたのよ、お小夜ちゃんに好きな男《ひと》がいることでも、三吉ちゃん、知ってしまったんだろうって――」

「そうでしたか」

季蔵は長屋はぎの入った包みと、おき玖の淹れてくれた茶を盆に載せて、二階の三吉を見舞った。

「すいません」

あわてて起き上がった三吉の顔は涙で濡《ぬ》れている。

「今日って埃《ほこり》っぽい日ですよね。目から涙が流れて流れて仕様がねえや。おいら、間違っても、泣いてなんていませんからね」

「まあ、素直になれ」

季蔵は包みを解いて、

「人は何があっても、食べることだけは止められない。苦しい想いを溜め込みすぎると、食べ物の美味ささえ忘れてしまう。それではつまらぬぞ。まずは想いの丈《たけ》を吐き出してみろ」

三吉を促した。

「だ、だって、格好悪すぎるし――」

「格好が気になるうちは、たいしたことはない」

季蔵は三吉に先んじて、長屋はぎをほおばった。

「美味いぞ」

「おいらのこの気持ち、たいしたことないのかな」

三吉の喉《のど》がごくりと鳴った。

「だから食べろ。食べながら話せ」

「う、うん」

三吉は長屋はぎに手を伸ばして、

「おいら、お小夜ちゃんが訪ねてきたお侍と話しているのを聞いちまったんだ。編み笠を被ってたそのお侍は、〝そなたのことは房楊枝職人の恵太から聞いて知っている。菓子楊枝をもとめたそなたが、それをえらく気に入って、訪ねて行ったのが、知り合った縁だったとか――。夫婦《めおと》約束をした間柄と見た。どうしても、急用で恵太に会わねばならぬので、引っ越し先を教えてくれ〟って言ってて――」

「編み笠の侍が房楊枝職人の恵太に――」

季蔵の顔から血の気が引いた。

――これは大変だ――

「な、なんだよ、季蔵さん、急に怖い顔になっちゃって――」

「いや、何でもない。それで、お小夜ちゃんは引っ越し先を教えたのか？」

「金杉通四丁目安楽寺裏の勢左衛門《せいざえもん》長屋って言ってた。それで、おいら、これはやっぱり、そのお侍の言ってる通りだと思って、がっくり来て、もう、なにもかもどーでもよくなっ

「どうでもよくない証に、もう三つ目の長屋はぎだぞ」

ちゃって——」

——急がなければ——

季蔵は階段を駆け下りた。

すでに夕暮れ時である。

芝の金杉通四丁目までは、海沿いの道を急ぎ足で行っても一刻（約二時間）はかかる。

季蔵は走り通した。

——せめてもの救いは、本田様が恵太さんの居場所を知ってから間もないことだが——

安楽寺裏勢左衛門長屋の恵太の家に走り込んだ季蔵は、斬り殺された骸はなく、座敷に布団が積み重なっている様子に、ひとまず安堵した。

——よかった、恵太さんはまだ帰ってきていない——

木戸門を出ると、すぐ近くの人気《ひとけ》のない四《よ》ツ辻《つじ》へと歩いた。

——本田様は比見さん同様、恵太さんの贔屓客で、互いに顔を見知っているはず——。

今のところ、この先には何も見えないが——

四方が見渡せる辻の中ほどまで、あと三間（約五・四メートル）と近づいたところで、左手から歩いてきた町人風の男に向かって、刀を手にした編み笠姿の侍が猛然と走り込んでくるのが見えた。

——いかん——

季蔵は恵太とおぼしい町人を庇《かば》って、その前に立った。

「そこをどけ」

本田主膳が怒り狂った大声を上げた。

「どきませぬ」

「ならば、もろとも斬るぞ」

——できる——

季蔵がもう、これまでと思わず目を閉じた刹那《せつな》、

「ううっ、な、何者っ」

頭上に振り上げられていた本田主膳の刀が、音を立てて道ばたに転がり、その身体がどうっと前のめりに倒れた。

「武藤さん」

「仕事の帰りに走っている季蔵殿の姿を見つけたのだ。思い詰めた様子だったので、つい、後を尾行《つけ》てしまった」

武藤が本田の足を払うのに用いたのは、太い木の枝であった。

「もしや、何かの助けになるかもしれないと思い、拾って手にしていたのが幸いした」

恵太は怯《おび》えた様子ながら、

「俺は比見さんのとこで、血みまれの刀を手にした本田様と出くわした。いつものように、房楊枝と菓子楊枝を届けに行ったんだ。本田様は比見さんを追い回して、大川まで追い詰

めると、後ろから斬りつけた。比見さんは大川に落ちて、雨の日の後だったんで、水かさも多くて、そのまま沈んで浮かんでこなかった。〝このことは誰にも言いません。天地神明に誓って申しません、本当です〟と俺は叫び続けながら、夢中で逃げたよ。けれど、本田様のとこにも肝木の房楊枝を納めてて、住み処《か》や立ち回る先など、いろいろ世間話をさせていただいてた。酒を振る舞ってもらったこともある。俺なんかを相手にしてくれる本田様は、こんなんで遭うんじゃなきゃ、いいお方なんだ、けど、その時は、このままでは身が危ないと思った。本田様が剣術がたいした腕前だってこと、知ってたしね。それで俺は、想いをかけてる長屋はぎのお小夜にだけ、引っ越し先を話して姿をくらましたんだ。お小夜のことを、本田様に話していたのをうっかり忘れてた」

狙われる理由を明言すると、

「お小夜に何かしやしなかったろうね」

本田に詰め寄った。

黙って首を横に振った本田主膳を、

「何人もの人の命を奪ってまで、あなたが守ろうとなさったのは、家名ですか？　それとも、比見さんが見破った、贋物《にせもの》のお宝の山なのでしょうか？」

季蔵は問い詰めた。

「わが家のお宝が贋物？　何を惚《とぼ》けたことを申すのか――」

本田はむすりとした顔で応えた。

「しかし、そうでなければ、あなたが比見さん夫婦、版元の田鶴屋さんの口を塞《ふさ》ぐ理由がないのです。比見さんは思ったことをすぐ口にする性質《たち》だったので、芭蕉屋の女将さんのほかにも、本田家所蔵の宴お道具について、洩らすことがあったのではないかと思います。それを耳にしていたあなたは、あの日の比見さんの誘いを、田鶴屋と組んでの強請《ゆすり》だと思い込んでしまったのでしょう。連れ合いならこの強請を知っているはずだと、さをりさんも亡き者にした――。あとは先ほど恵太さんが話してくれた通りで、あなたは驚いて逃げた恵太さんが放り出して行った、房楊枝と菓子楊枝を使って、田鶴屋さんが死んでいた座敷と、さをりさんの骸に細工した。恵太さんの仕業に見せかけるためにです。お上というものは、生まれて一度も刀を手にしたことのない恵太さんでさえも、いざとなった場合、下手人に仕立てあげてしまうとわかってやったのです」

季蔵は最後の言葉に怒りを込め、

「そのうえ、念の入ったことに恵太さんを殺そうとしたり、比見さんが罪を悔いて自害したように、見せかけたりしたんですね。しかし、過ぎたるは及ばざるが如しです」

と、続けた。

「証はあるのか？」

本田は乾いた声を出した。

「ないことはありませんが――」

季蔵は恵太を見た。

恵太はあわてて、頭を横に振り、

「大身のお武家様が罪人だなんてこと、誰が信じるっていうんだい？　俺の言い分なんて、お役人が聞いてくれると思えねえよ」

「どうやら、あなたが白状しないかぎり、無理なようです」

「そうか――」

足を折られた本田は、意外な素早さで落ちている刀に躙《にじ》り寄って手にすると、

「ならば、これにて、手に掛けた者への償《つぐな》いとしよう。若い頃は剣術に秀《ひい》でていて、通っている道場でも、向かうところ敵なしだった。嫡男でさえなければ、娘の婿に迎え入れて、好きな剣術を教えて暮らすよう勧めるものをと、師匠に残念がられたこともある。むろんその娘も好きだった。このような形でしか、刀を使い納めにできぬのを笑ってくれてもよい」

やにわに、自身の心《しん》の臓めがけて突き通した。

この結末を聞いた烏谷は、

「実は田鶴屋の周辺を聞き込んだところ、比見は新しく、共著の草紙を思いついていて、本田主膳の名を洩らしていたそうだ」

「どんな中身です？」

「芭蕉と蕪村の道中膝栗毛《ひざくりげ》」

「だとすると、比見さんが田鶴屋さんと共に本田様を招こうとしたのは、その草紙のため

だったのですね」

「そのようだな」

　――何という、救いのない思い違いだったのか――

「本田主膳は根っから悪人というわけではなかった。生きている限り、お家の誉《ほま》れを守らねばならぬという想いと、とりわけ、心も身体も離れてしまった女房の薄情が応えていたものと思う。本田でなくとも、柏屋音右衛門は目障《めざわ》りな奴だ。だが、これからは、常に、女主の後ろに控えている、こやつに油断がならない」

　ご多分にもれず、本田家では、主は急な病いを得て死んだと届け出られた。

　お小夜が恵太と所帯を持つと報された三吉は、

「うれしい、よかった、おいら、お小夜ちゃんの幸せ、心から祈ってるんだ」

　祝い代わりにと買い求めてきた、五十個もの長屋はぎを次々にほおばって、

「うれしい、よかった、それに美味い――」

　泣き笑いを続けた。

　ヨモギが青い香を放つようになって、塩梅屋の裏庭で行われた烏賊焼きに集まった客たちの多くは、

「ヨモギ風味の烏賊焼きもいいが、甘辛タレをかける昔ながらの方も捨て難い」

　迷い続けて、結局は、どちらもということになり、二杯もの烏賊焼きを平らげた。

　この烏賊焼きを終えて、客が帰った後、

「あの時、あなたに命を拾われました。あなたが追いかけてきてくれなかったら、わたしはどうなっていたか――。それにしても、相手の足を薙《な》いだ、あなたの早業《はやわざ》は見事でした。どこぞで修練されたのか？　どうです？　ここで少し飲みませんか？　濃い味付けにしたつくしの佃煮を残してあります」

季蔵が誘うと、

「修練など、とんでもない。何の、偶然と咄嗟が上手《うま》くつながっただけのことだ。それがし、酒は節約のために飲まぬことにしていたが、今は妻の安産祈願に代えている。つくしの佃煮で飲む酒は一興だが、安産が叶ってからにしたい」

「よくわかりました」

「皐月《さつき》の頃につくし酒は不似合いか？」

「いいえ、そんなことはありません」

武藤を送り出した季蔵は、

――そうだ、わたしも――

タレに漬け込んだ烏賊と、宇三郎の甥の店でもとめた、縞模様に藤の花姿が浮かぶ長財布を携えて店を出た。

〈参考文献〉

『聞き書　山形の食事』「日本の食生活全集　6」木村正太郎　他編（農山漁村文化協会）
『聞き書　富山の食事』「日本の食生活全集　16」堀田良　他編（農山漁村文化協会）
『聞き書　兵庫の食事』「日本の食生活全集　28」和田邦平　他編（農山漁村文化協会）

本書は、時代小説文庫（ハルキ文庫）の書き下ろし作品です。

時代小説文庫
わ 1-20

料《りょう》理《り》侍《ざむらい》 料理《りょうり》人《にん》季蔵《としぞう》捕物控《とりものひかえ》

著者 和《わ》田《だ》はつ子《こ》

2013年3月18日第一刷発行

発行者 角川春樹

発行所 株式会社 角川春樹事務所
〒102-0074 東京都千代田区九段南2-1-30 イタリア文化会館

電話 03(3263)5247[編集] 03(3263)5881[営業]

印刷・製本 中央精版印刷株式会社

フォーマット・デザイン&シンボルマーク 芦澤泰偉

ISBN978-4-7584-3725-7 C0193

http://www.kadokawaharuki.co.jp/[営業]
fanmail@kadokawaharuki.co.jp[編集] ご意見・ご感想をお寄せください。

時代小説文庫

和田はつ子
あおば鰹《がつお》
料理人季蔵捕物控

書き下ろし

初鰹《はつがつお》で賑わっている日本橋・塩梅屋に、頭巾を被った上品な老爺がやってきた。先代に〝医者殺し〟（鰹のあら炊き）を食べさせてもらったと言う。常連さんとも顔馴染みになったある日、老爺が首を絞められて殺された。犯人は捕まったが、どうやら裏で糸をひいている者がいるらしい。季蔵は、先代から継いだ裏稼業〝隠れ者〟としての務めを果たそうとするが……（「あおば鰹」）。義理と人情の捕物帖シリーズ第三弾、ますます絶好調。

和田はつ子
お宝食《くい》積《つみ》
料理人季蔵捕物控

書き下ろし

日本橋にある一膳飯屋〝塩梅屋〟では、季蔵とおき玖が、お正月の飾り物である食積の準備に余念がなかった。食積は、あられの他、海の幸山の幸に、柏や裏白の葉を添えるのだ。そんなある日、季蔵を兄と慕う豪助から「近所に住む船宿の主人を殺した犯人を捕まえたい」と相談される。一方、塩梅屋の食積に添えた裏白の葉の間に、ご禁制の貝玉（真珠）が見つかった。一体誰が何の目的で、隠したのか!?　義理と人情の人気捕物帖シリーズ、第四弾。